Classiques Larousse

Mo...

Les Fourberies de Scapin

comédie

Édition présentée, annotée et expliquée
par
YVES BOMATI
docteur ès lettres et sciences humaines

LIBRAIRIE LAROUSSE

Qu'est-ce qu'un classique ?

Les Fourberies de Scapin ont été écrites par Molière il y a plus de trois cents ans, sous le règne de Louis XIV. Cette pièce de théâtre a été représentée pour la première fois au théâtre du Palais-Royal, à Paris.

Elle appartient à la littérature classique car son sujet est toujours actuel, et Molière l'a traité d'une façon qui fait encore rire aujourd'hui. La télévision la présente quelquefois et elle est même devenue un film.

Le petit livre que vous avez entre les mains est particulier. En plus des *Fourberies de Scapin*, il contient des renseignements sur l'auteur, le théâtre, le sujet de l'œuvre, les personnages, etc. Afin de mieux comprendre le texte de Molière, des notes placées en bas de page expliquent certains mots, et des questions, regroupées dans un encadré, aident à faire le point. Ainsi, vous pourrez lire la pièce avec plaisir et, pourquoi pas, comme si vous étiez un acteur ou une actrice...

1671 : Molière crée
les Fourberies de Scapin

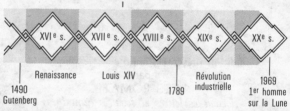

| XVIe s. | XVIIe s. | XVIIIe s. | XIXe s. | XXe s. |

Renaissance   Louis XIV   Révolution industrielle

1490 Gutenberg   1789   1969 1er homme sur la Lune

Collection fondée par Félix Guirand et continuée par Léon Lejealle.
© Librairie Larousse 1990.
ISBN 2-03-871308-1

Sommaire

Molière : un homme du Grand Siècle

De Jean-Baptiste Poquelin à Molière

Jean-Baptiste Poquelin est né le 15 janvier 1622, dans une famille bourgeoise assez fortunée. Son père, « Tapissier ordinaire du Roi », fournit et entretient le mobilier royal, ce qui lui assure des revenus confortables et le titre d'Écuyer. En ce temps — Louis XIII règne alors sur la France —, il est coutumier pour un père de transmettre à son fils aîné sa charge et son métier. Jean-Baptiste sera donc tapissier !

En attendant, il achève ses études à Paris, au collège de Clermont (sur l'emplacement de l'actuel lycée Louis-le-Grand) et engage une licence de droit, qu'il obtient, à Orléans, à l'âge de vingt ans.

Il hésite alors : doit-il obéir à son père (sa mère est morte lorsqu'il avait dix ans) et perpétuer la tradition familiale ? Doit-il, au contraire, suivre ses envies et réaliser son rêve d'enfant : devenir comédien ? Si l'on en croit la légende, son grand-père Louis Cressé l'aurait fréquemment amené à la Comédie, lorsqu'il était enfant ; de plus, durant son adolescence, Jean-Baptiste aimait traîner sur le Pont-Neuf où le fameux Tiberio Fiorelli, dit Scaramouche, déchaînait l'hilarité de tous par ses pantomimes.

Une rencontre met un terme à ses hésitations : Madeleine Béjart et sa famille de comédiens lui proposent

S. CARAMOVCHE.

F. Iollain excudit.

Tiberio Fiorelli, dit Scaramouche,
comédien italien (1608-1694).
Gravure du XVIIe siècle, Paris, Bibliothèque nationale.

de constituer une troupe. En rupture avec son père, Molière accepte, préférant la vie risquée du comédien à celle, plus mondaine, du tapissier. Le 16 juin 1643, la troupe prend le nom de *l'Illustre-Théâtre*. Jean-Baptiste en deviendra le directeur, l'année suivante, à 22 ans, et adoptera un nouveau nom : Molière est né.

Les années difficiles

Tristes débuts. Les recettes sont maigres et les créanciers avides. La troupe ne peut plus faire face à ses engagements financiers. En 1645, Molière est emprisonné pour dettes au Châtelet. Il en sort rapidement et décide de partir avec *l'Illustre-Théâtre* pour le sud de la France, afin de survivre : l'existence y est moins dure et les troupes théâtrales moins nombreuses. De plus, le duc d'Épernon, gouverneur de Guyenne, est disposé à prendre la troupe sous sa protection.

Molière connaît alors la vie des comédiens ambulants : Albi, Carcassonne, Toulouse, Narbonne, Lyon, Pézenas, autant d'étapes où s'affirme sa passion pour le théâtre. Au programme : des pièces émouvantes au sujet grave — des tragédies —, d'autres plus légères et bouffonnes — des comédies ou des farces improvisées à la mode italienne (voir p. 12). D'auberges misérables en châteaux somptueux, il apprend « sur le tas » la vie des saltimbanques. À cette époque, le métier de comédien n'était guère apprécié. Les acteurs, disait-on, étaient des instruments du diable, et l'on n'avait pas toujours le droit de les fréquenter. Aussi l'accueil que leur réservaient les cités était-il souvent imprévisible.

Polichinelle, Brigantin, Laveugle chez le marchand d'Orvietan,
remède « bon contre toute sorte de venin ».
Détail d'une gravure anonyme du XVIIᵉ siècle, Paris, B.N.

L'Illustre-Théâtre traverse cependant toutes ces épreuves et gagne en renommée. Dès 1653 et jusqu'en 1658, la troupe est encouragée par un puissant personnage, le prince de Conti, gouverneur du Languedoc. Molière propose alors ses premières comédies : *l'Étourdi* (1655) et *le Dépit amoureux* (1656). La confiance le gagne. Il passe au service du gouverneur de Normandie (1657) et joue à Rouen.

1658 : Molière a trente-six ans, voilà treize ans qu'il parcourt les routes de province. Il rentre à Paris.

7

Le temps des chefs-d'œuvre

L'Illustre-Théâtre qui compte à présent dix acteurs et actrices devient la « troupe de Monsieur », le frère de Louis XIV. Sous ce patronage, Molière joue devant la cour et a le bonheur de plaire au roi, grâce à une farce qui le fait mourir de rire : *le Docteur amoureux*. Il doit à ce succès son installation dans la salle du Petit-Bourbon, puis dans celle du Palais-Royal.

Il produit alors *les Précieuses ridicules* (1659), *Tartuffe* (1664), à l'origine d'une vaste querelle, et *Dom Juan* (1665) : autant de pièces majeures. Molière reçoit enfin la suprême consécration de ses succès : sa troupe est nommée « troupe du Roi ». Il se marie entre-temps avec Armande Béjart, d'environ vingt ans plus jeune que lui.

Les chefs-d'œuvre se succèdent à un rythme accéléré : 1666 : *le Misanthrope* ; 1668 : *l'Avare* ; 1670 : *le Bourgeois gentilhomme* ; 1671 : *Psyché*, comédie à grand spectacle avec musique et ballets, puis *les Fourberies de Scapin* ; 1672 : *les Femmes savantes* ; 1673 : *le Malade imaginaire*. Durant toutes ces années, Molière connaît l'aisance. Il est loin le temps des repas pris à la sauvette dans une auberge mal famée. Ses amis l'incitent à cesser de se produire sur scène, à se consacrer uniquement à l'écriture théâtrale. Mais Molière est brûlé par sa passion : c'est un acteur avant tout.

Certes, il est bien malade depuis ce 27 novembre 1665 où une fluxion de poitrine (une congestion pulmonaire) le tint, à quarante-trois ans, éloigné de la scène durant plusieurs mois.

De plus, son mariage avec Armande Béjart n'est pas une réussite. Et puis, Madeleine, l'amie de toujours, est morte en 1672, ce qui l'a profondément éprouvé.

La dernière représentation

17 février 1673 : c'est la quatrième représentation du *Malade imaginaire*. Épuisé, Molière s'écroule sur son fauteuil. La maladie — ou la lassitude de vivre — a eu raison de son énergie. On l'emporte en son logis de la rue de Richelieu. Entouré de ses amis et de tous les masques de ses comédies (les acteurs portaient des masques pour jouer certains rôles), il meurt quelques heures plus tard. Il a cinquante et un ans.

À l'époque, les comédiens n'ont pas le droit d'être enterrés en cimetière chrétien. On fera exception pour Molière, mais ses funérailles auront lieu de nuit, sans grande cérémonie, et — dit-on — dans le carré réservé aux enfants morts avant d'avoir été baptisés. Malgré cela, près de 800 personnes suivront l'enterrement de Molière à la lueur des torches.

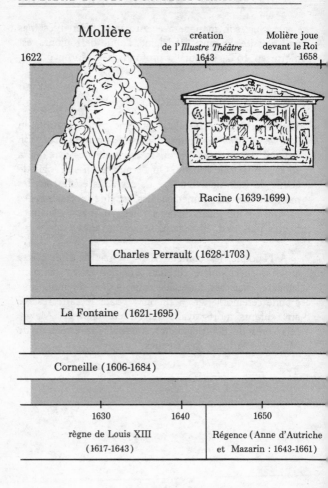

Molière

création
de l'*Illustre Théâtre*
1643

Molière joue
devant le Roi
1658

1622

Racine (1639-1699)

Charles Perrault (1628-1703)

La Fontaine (1621-1695)

Corneille (1606-1684)

1630	1640	1650
règne de Louis XIII (1617-1643)		Régence (Anne d'Autriche et Mazarin : 1643-1661)

10

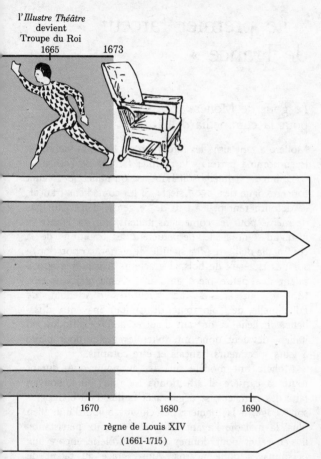

l'*Illustre Théâtre*
devient
Troupe du Roi
1665   1673

1670   1680   1690

règne de Louis XIV
(1661-1715)

1661 : début de la construction du château de Versailles

11

« Le premier farceur de France »

Le goût de Molière
pour la commedia dell'arte

Molière a tant aimé les farces durant toute sa vie qu'on le surnomma parfois « le premier farceur de France ».

La farce — qu'elle soit française ou italienne — était fort en vogue dès le XVe siècle. Si les comédiens français se détournèrent peu à peu de ce genre, il n'en fut pas de même pour les comédiens italiens, qui, en France et jusqu'au XVIIIe siècle, perpétuèrent les traditions de la commedia dell'arte (*arte* signifie ici métier, corporation) : sur des tréteaux de bois, des acteurs masqués improvisaient une petite pièce amusante. Ainsi, grâce à eux, Molière put assister aux aventures d'Arlequin, de Polichinelle, de Colombine, du capitan Spavento, d'Isabelle, de Lelio et de tant d'autres qui, s'exprimant en italien, devaient donc multiplier les gestes pour plaire à leurs spectateurs français et être compris.

Molière prit modèle sur eux au point que, durant toute sa carrière, il affectionna les rôles où il pouvait faire des grimaces, se déguiser et farder d'un blanc gras son visage, à la manière des clowns aujourd'hui. Bien plus, la maladie l'ayant affligé d'une toux persistante, il s'en servit pour donner plus de drôlerie encore aux personnages qu'il incarna. Ainsi, grâce au talent de Molière, la farce reprit vie chez les comédiens français.

Gros Guillaume, Turlupin, Gautier Garguille,
farceurs français à l'Hôtel de Bourgogne.
Gravure d'Abraham Bosse (1602-1676).

Les Fourberies de Scapin :
la dernière farce de Molière

Bien que toutes ses compositions de jeunesse ne nous
soient pas parvenues, on remarque que les premières
œuvres de Molière furent des farces : *la Jalousie de
Barbouillé, le Médecin volant*. On découvre l'ancêtre de
Scapin sous le masque de Mascarille dans ses deux
premières comédies, *l'Étourdi* et *le Dépit amoureux*, toutes
deux écrites en 1658.

Puis Molière délaissa la farce durant quelques années
pour se consacrer à la comédie plus raffinée, moins
populaire, où cependant il glissa quelques clins d'œil
farcesques. La production des *Fourberies de Scapin*, deux

13

ans avant sa mort, montre assez qu'il n'avait pas oublié les passions de sa jeunesse : amour de la vie, de la joie, goût du peuple et de la santé, dernier rempart contre la maladie qui allait l'emporter.

Molière retourna donc à ses premières amours, renoua avec son adolescence, rendant hommage une dernière fois à son maître, Tiberio Fiorelli, le chef des Comédiens italiens.

Un accueil d'abord réservé, puis un succès

La pièce fut présentée à Paris le 24 mai 1671. Le public y trouva quelque intérêt dans les premiers jours, mais très vite il s'en lassa. Les recettes étant trop modestes, Molière la retira de l'affiche après un mois d'exploitation. Il essaya par deux fois en juillet de la reprendre. En vain : les spectateurs boudaient la pièce.

À l'évidence, son retour aux sources du comique ne plaisait guère. Ses contemporains appréciaient bien plus les comédies-ballets à grand spectacle ou les grandes pièces de son répertoire que cette « scapinade » déconcertante et populaire. Molière n'eut donc guère l'occasion d'user l'habit rayé de vert de Scapin, dans lequel pourtant il se sentait si bien, malgré son âge.

La destinée de la pièce lui rendit cependant justice. De 1680 à nos jours, les Fourberies de Scapin ont été représentées 1 340 fois dans la seule salle de la Comédie-Française. Pas de mois ne s'écoule sans que la pièce ne soit reprise en France ou à l'étranger où son succès ne s'est jamais démenti. Traduite dans toutes les langues européennes, même les plus rares, elle a fêté son trois centième anniversaire sans prendre une ride.

L'action
dans *les Fourberies*

En l'absence de leurs parents respectifs, Octave s'est marié en secret avec Hyacinte, jeune fille pauvre au passé mystérieux, et Léandre est tombé amoureux d'une Égyptienne, Zerbinette.

Mais voici que les pères, Argante et Géronte, rentrent de voyage avec des projets de mariage pour leurs enfants. Les fils ne savent plus à qui se confier pour résoudre leurs problèmes.

Scapin, le valet de Léandre, s'engage à tout arranger ; par ses mensonges et ses manigances (ses fourberies), il imagine de soutirer aux deux pères l'argent nécessaire pour faire triompher l'amour et la jeunesse. Mais qui sont en réalité Hyacinte et Zerbinette ? Scapin réussira-t-il sa mission impossible ? Rassurons-nous, tout finira dans la joie et Scapin sera porté en triomphe à la table du festin.

Les personnages principaux

La plupart des personnages des *Fourberies de Scapin* sont issus des traditions italiennes de la commedia dell'arte. Chacun d'eux joue un rôle précis, qui ne varie jamais, quel que soit le sujet de la pièce.

Les pères : des obstacles à l'amour

Argante, père d'Octave, et Géronte, père de Léandre, sont tous deux riches et veufs. Argante possède une certaine générosité, bien qu'il se mette facilement en colère. Géronte n'a pas son intelligence ni son ouverture d'esprit : sa passion pour les pièces d'or l'aveugle et il a perdu toute humanité.

Les fils : des jeunes gens insouciants

Bien que Octave et Léandre soient des « fils de bonne famille », ils vivent dans le dénuement (voir p. 000). Ils tenteront donc de tirer quelque argent de leurs riches pères, même si on les voit trembler de crainte devant eux. Cela ne les empêche pas, d'ailleurs, de traiter durement leurs domestiques.

Hyacinte et Zerbinette : les deux jeunes filles

Elles remplissent les rôles traditionnels des « amoureuses » de la commedia dell'arte. Hyacinte est le type même de la jeune fille rangée, fidèle, presque parfaite.

Zerbinette sait rire aux éclats, elle aime la vie et l'amour. De tous les personnages de la pièce, elle est la plus imprévisible car la plus jeune d'esprit.

Scapin : le goût du risque

Scapin, valet de Géronte, est au service de Léandre. C'est un ancien repris de justice. Toujours en mouvement, il s'échappe sans cesse (son nom vient d'ailleurs d'un verbe italien, *scappare*, qui signifie « s'échapper »). Toute son énergie, toute son intelligence, il les utilise pour faire triompher la justice et la jeunesse. Sans lui, rien ne pourrait réussir. Il tient le rôle principal de la pièce.

Affiche du film de Roger Coggio,
les *Fourberies de Scapin*, 1981.

Au théâtre, un dimanche de 1671

Faisons une expérience : transportons-nous l'espace d'un instant le 24 mai 1671. Par ce beau dimanche de printemps, le peuple de Paris se rend au spectacle. Justement, aujourd'hui, Molière et la troupe du roi donnent pour la première fois au Palais-Royal *les Fourberies de Scapin*.

On ne peut se permettre d'être en retard : la grande salle rectangulaire ne compte que 1 200 places, et chacun sait que des séries entières sont déjà réservées pour les grands du royaume ! Juste le temps de jeter un œil aux affiches noires et rouges où le spectacle est annoncé. Bonne nouvelle ! Molière interprète lui-même le rôle de Scapin. Avec un tel acteur, on est sûr de bien rire : il hoquette, fait des grimaces, improvise des jeux de scène incroyables. Et puis, Mlle Beauval fait aussi partie de la distribution : on dit qu'elle joue le rôle d'une Égyptienne au rire irrésistible.

Déjà, on se presse aux guichets : 15 sous pour le parterre, 110 pour les galeries et les loges. Tant pis, on se contentera du parterre. Certes, on y est très serré, debout, au milieu d'une foule débraillée, hurlante et gesticulante... mais l'essentiel n'est-il pas de découvrir la pièce ? Quatre heures ont déjà sonné. Encore quelques minutes et le spectacle commencera. Quelques hommes, des nobles sans doute, sont installés dans des fauteuils sur la scène elle-même. Une simple balustrade les sépare des comédiens. Impossible dans ces conditions de lever ou de baisser le rideau. Seul l'allumage des vingt-quatre lustres garnis de chandelles signalera le début des actes.

Soudain, quelques violons se font entendre. Une lumière chaude envahit progressivement la scène. Naples, un port de pêche, des maisons de pêcheurs surgissent de la pénombre. Un jeune homme, en grande conversation avec son serviteur, s'avance : « Ah ! fâcheuses nouvelles pour un cœur amoureux !... »

Danse italienne.
Gravure de Jacques Callot (1592-1635).
Paris, musée de l'Arsenal.

19

Molière vers 1670. Dessin d'Eustache Lorsay,
d'après une peinture du foyer de la Comédie-Française.

MOLIÈRE

Les Fourberies de Scapin

comédie
représentée pour la première fois
le 24 mai 1671

Personnages

Argante, *père d'Octave et de Zerbinette.*

Géronte, *père de Léandre et de Hyacinte.*

Octave, *fils d'Argante et amant de Hyacinte.*

Léandre, *fils de Géronte et amant de Zerbinette.*

Zerbinette, *crue Égyptienne et reconnue fille d'Argante et amante de Léandre.*

Hyacinte, *fille de Géronte et amante d'Octave.*

Scapin, *valet de Léandre et fourbe.*

Sylvestre, *valet d'Octave.*

Nérine, *nourrice de Hyacinte.*

Carle, *fourbe.*

La scène est à Naples.

Acte premier

SCÈNE PREMIÈRE. OCTAVE, SYLVESTRE.

OCTAVE. Ah ! fâcheuses[1] nouvelles pour un cœur amoureux ! Dures extrémités où je me vois réduit ! Tu viens, Sylvestre, d'apprendre au port que mon père revient ?

5 SYLVESTRE. Oui.

OCTAVE. Qu'il arrive ce matin même ?

SYLVESTRE. Ce matin même.

OCTAVE. Et qu'il revient dans la résolution de me marier ?

10 SYLVESTRE. Oui.

OCTAVE. Avec une fille du seigneur[2] Géronte ?

SYLVESTRE. Du seigneur Géronte.

OCTAVE. Et que cette fille est mandée[3] de Tarente[4] ici pour cela ?

15 SYLVESTRE. Oui.

OCTAVE. Et tu tiens ces nouvelles de mon oncle ?

SYLVESTRE. De votre oncle.

OCTAVE. À qui mon père les a mandées[5] par une lettre ?

20 SYLVESTRE. Par une lettre.

---

1. *Fâcheuses :* mauvaises, désagréables.
2. *Seigneur :* correspond à l'italien *signor* (« monsieur »), et ne constitue pas ici un titre de noblesse.
3. *Mandée :* appelée.
4. *Tarente :* port de l'Italie du Sud.
5. *Mon père les a mandées :* mon père les a envoyées par courrier.

Décor des *Fourberies de Scapin*.
Mise en scène de Jean Meyer.
Comédie-Française, 1952.

OCTAVE.   Et cet oncle, dis-tu, sait toutes nos affaires ?

SYLVESTRE.   Toutes nos affaires.

OCTAVE.   Ah ! parle, si tu veux, et ne te fais point de la sorte arracher les mots de la bouche.

25 SYLVESTRE.   Qu'ai-je à parler davantage ? Vous n'oubliez aucune circonstance, et vous dites les choses tout justement[1] comme elles sont.

OCTAVE.   Conseille-moi, du moins, et me dis[2] ce que je dois faire dans ces cruelles conjonctures[3].

---

1. *Tout justement :* tout juste, précisément.
2. *Me dis :* dis-moi.
3. *Cruelles conjonctures :* cette pénible situation.

30 SYLVESTRE. Ma foi, je m'y trouve autant embarrassé que vous, et j'aurais bon besoin[1] que l'on me conseillât moi-même.

OCTAVE. Je suis assassiné[2] par ce maudit retour.

SYLVESTRE. Je ne le suis pas moins.

35 OCTAVE. Lorsque mon père apprendra les choses, je vais voir fondre sur moi un orage soudain d'impétueuses réprimandes.

SYLVESTRE. Les réprimandes ne sont rien, et plût au Ciel que[3] j'en fusse quitte à ce prix ! Mais, j'ai bien la
40 mine[4], pour moi, de payer plus cher vos folies, et je vois se former de loin un nuage de coups de bâton qui crèvera sur mes épaules.

OCTAVE. Ô Ciel ! par où sortir de l'embarras[5] où je me trouve ?

45 SYLVESTRE. C'est à quoi vous deviez songer avant que de vous y jeter.

OCTAVE. Ah ! tu me fais mourir par tes leçons hors de saison.

SYLVESTRE. Vous me faites bien plus mourir par vos
50 actions étourdies.

OCTAVE. Que dois-je faire ? Quelle résolution prendre ? À quel remède recourir ?

---

1. *Bon besoin :* bien besoin.
2. *Assassiné :* extrêmement ennuyé.
3. *Plût au Ciel que :* pourvu que.
4. *J'ai bien la mine de payer :* j'ai bien l'air de quelqu'un qui paiera.
5. *Embarras :* situation embarrassante.

Acte I, scène 1

UNE SCÈNE D'EXPOSITION

1. Qu'appelle-t-on « scène d'exposition » au théâtre ? Aidez-vous éventuellement du dictionnaire pour répondre à la question.

2. Qui est Octave ? Sylvestre ? Relevez quelques expressions significatives à l'appui de votre réponse.

3. Précisez, en citant le texte, les différentes nouvelles que l'on apprend dans cette scène.

4. Comment Molière pique-t-il la curiosité du spectateur à la fin de la scène ?

LES PERSONNAGES

5. Comment Molière montre-t-il la nervosité d'Octave, au début de la scène ?

6. Pourquoi Octave tutoie-t-il Sylvestre ? Précisez la nature de leurs relations.

7. Quel caractère Octave prête-t-il à son père Argante ? Citez le texte.

8. Pourquoi Sylvestre est-il moins bavard que son maître ?

9. Quelle est la plus grande crainte de Sylvestre ? Qu'en déduisez-vous sur le sort des valets, à cette époque ?

LE COMIQUE DE LA SCÈNE

10. Montrez que le contraste entre Octave et Sylvestre, qui ont des caractères différents, est comique. Citez un passage particulièrement amusant de la scène. Justifiez votre choix.

11. Sylvestre reprend souvent les mots de son jeune maître. Quelles sont les répétitions les plus comiques ? Justifiez votre choix.

SCÈNE 2. SCAPIN, OCTAVE, SYLVESTRE.

SCAPIN.   Qu'est-ce, seigneur Octave ? qu'avez-vous ? qu'y a-t-il ? quel désordre est-ce là ? Je vous vois tout troublé.

OCTAVE.   Ah ! mon pauvre Scapin, je suis perdu, je
5 suis désespéré, je suis le plus infortuné[1] de tous les hommes !

SCAPIN.   Comment ?

OCTAVE.   N'as-tu rien appris de ce qui me regarde[2] ?

SCAPIN.   Non.

10 OCTAVE.   Mon père arrive avec le seigneur Géronte, et ils me veulent marier.

SCAPIN.   Eh bien ! qu'y a-t-il là de si funeste[3] ?

OCTAVE.   Hélas ! tu ne sais pas la cause de mon inquiétude.

15 SCAPIN.   Non ; mais il ne tiendra qu'à vous que je la sache bientôt ; et je suis homme consolatif[4], homme à m'intéresser aux affaires des jeunes gens.

OCTAVE.   Ah ! Scapin, si tu pouvais trouver quelque invention, forger quelque machine[5], pour me tirer de la
20 peine où je suis, je croirais t'être redevable de plus que de la vie.

SCAPIN.   À vous dire la vérité, il y a peu de choses qui me soient impossibles, quand je m'en veux mêler. J'ai sans doute reçu du Ciel un génie assez beau pour

---

1. *Infortuné :* malheureux.
2. *De ce qui me regarde :* à mon sujet.
3. *Funeste :* triste, dramatique.
4. *Consolatif :* capable d'apporter du réconfort.
5. *Machine :* machination.

25 toutes les fabriques de ces gentillesses[1] d'esprit, de ces galanteries ingénieuses[2], à qui le vulgaire[3] ignorant donne le nom de fourberies, et je puis dire sans vanité qu'on n'a guère vu d'homme qui fût plus habile ouvrier de ressorts et d'intrigues[4], qui ait acquis plus de gloire que
30 moi dans ce noble métier. Mais, ma foi, le mérite[5] est trop maltraité aujourd'hui, et j'ai renoncé à toutes choses depuis certain chagrin[6] d'une affaire qui m'arriva.

OCTAVE.   Comment ? Quelle affaire, Scapin ?

SCAPIN.   Une aventure où je me brouillai avec la justice.

35 OCTAVE.   La justice !

SCAPIN.   Oui, nous eûmes un petit démêlé ensemble.

SYLVESTRE.   Toi et la justice ?

SCAPIN.   Oui. Elle en usa fort mal[7] avec moi, et je me dépitai de telle sorte contre l'ingratitude du siècle[8], que
40 je résolus de ne plus rien faire. Baste[9] ! Ne laissez pas de[10] me conter votre aventure.

OCTAVE.   Tu sais, Scapin, qu'il y a deux mois que le seigneur Géronte et mon père s'embarquèrent ensemble pour un voyage qui regarde certain commerce[11] où leurs
45 intérêts sont mêlés.

---

1. *Fabriques de ces gentillesses :* inventions de traits d'esprit.
2. *Galanteries ingénieuses :* flatteries habiles adressées à quelqu'un qu'on veut tromper.
3. *Le vulgaire :* le peuple.
4. *Ouvrier de ressorts et d'intrigues :* auteur de machinations.
5. *Mérite :* talent, valeur.
6. *Certain chagrin :* gros ennui.
7. *Elle en usa fort mal :* elle agit fort mal.
8. *Je me dépitai ... du siècle :* j'étais si dégoûté du manque d'estime de mes contemporains.
9. *Baste :* interjection qui vient de l'italien *basta* (« il suffit »).
10. *Ne laissez pas de :* ne vous abstenez pas de.
11. *Commerce :* affaire.

SCAPIN.   Je sais cela.

OCTAVE.   Et que Léandre et moi nous fûmes laissés par nos pères, moi sous la conduite de Sylvestre, et Léandre sous ta direction.

50 SCAPIN.   Oui. Je me suis fort bien acquitté de ma charge.

OCTAVE.   Quelque temps après, Léandre fit rencontre d'une jeune Égyptienne[1] dont il devint amoureux.

SCAPIN.   Je sais cela encore.

55 OCTAVE.   Comme nous sommes grands amis, il me fit aussitôt confidence de son amour[2] et me mena voir cette fille, que je trouvai belle à la vérité, mais non pas tant qu'il voulait que je la trouvasse. Il ne m'entretenait que d'elle chaque jour, m'exagérait à tous moments sa 60 beauté et sa grâce, me louait[3] son esprit et me parlait avec transport[4] des charmes de son entretien, dont il me rapportait jusqu'aux moindres paroles, qu'il s'efforçait toujours de me faire trouver les plus spirituelles du monde. Il me querellait quelquefois de n'être pas assez 65 sensible aux choses qu'il me venait de dire, et me blâmait sans cesse de l'indifférence où j'étais pour les feux de l'amour[5].

SCAPIN.   Je ne vois pas encore où ceci veut aller.

OCTAVE.   Un jour que je l'accompagnais pour aller 70 chez des gens qui gardent l'objet de ses vœux[6], nous

1. *Égyptienne* : bohémienne qui, parcourant toute l'Europe, dit la bonne aventure.
2. *Il me fit confidence de son amour* : il me dit le secret de son amour.
3. *Louait* : faisait l'éloge.
4. *Avec transport* : avec enthousiasme.
5. *Les feux de l'amour* : la passion amoureuse.
6. *L'objet de ses vœux* : la jeune fille qu'il aime.

entendîmes dans une petite maison d'une rue écartée quelques plaintes mêlées de beaucoup de sanglots. Nous demandons ce que c'est. Une femme nous dit en soupirant que nous pouvions voir là quelque chose de
75 pitoyable en des personnes étrangères, et qu'à moins d'être insensibles, nous en serions touchés.

SCAPIN.   Où est-ce que cela nous mène ?

OCTAVE.   La curiosité me fit presser Léandre de voir ce que c'était. Nous entrons dans une salle, où nous
80 voyons une vieille femme mourante, assistée d'une servante qui faisait des regrets[1], et d'une jeune fille toute fondante en larmes, la plus belle et la plus touchante qu'on puisse jamais voir.

SCAPIN.   Ah ! ah !

85 OCTAVE.   Une autre aurait paru effroyable en l'état où elle était, car elle n'avait pour habillement qu'une méchante petite jupe, avec des brassières de nuit qui étaient de simple futaine[2], et sa coiffure était une cornette[3] jaune, retroussée au haut de sa tête, qui laissait
90 tomber en désordre ses cheveux sur ses épaules ; et cependant, faite comme cela[4], elle brillait de mille attraits, et ce n'était qu'agréments et que charmes que toute sa personne.

SCAPIN.   Je sens venir les choses.

95 OCTAVE.   Si tu l'avais vue, Scapin, en l'état que je dis, tu l'aurais trouvée admirable.

SCAPIN.   Oh ! je n'en doute point ; et, sans l'avoir vue, je vois bien qu'elle était tout à fait charmante.

---

1. *Faisait des regrets :* manifestait sa peine.
2. *Brassières de simple futaine :* chemisette de fil et de coton.
3. *Cornette :* coiffe que les femmes mettaient sur la tête la nuit.
4. *Faite comme cela :* ainsi habillée.

OCTAVE.   Ses larmes n'étaient point de ces larmes
100 désagréables qui défigurent un visage : elle avait, à
pleurer, une grâce touchante, et sa douleur était la plus
belle du monde.

SCAPIN.   Je vois tout cela.

OCTAVE.   Elle faisait fondre chacun en larmes en se
105 jetant amoureusement sur le corps de cette mourante,
qu'elle appelait sa chère mère, et il n'y avait personne
qui n'eût l'âme percée[1] de voir un si bon naturel.

SCAPIN.   En effet, cela est touchant, et je vois bien que
ce bon naturel-là vous la fit aimer.

110 OCTAVE.   Ah ! Scapin, un barbare[2] l'aurait aimée.

SCAPIN.   Assurément. Le moyen de s'en empêcher !

OCTAVE.   Après quelques paroles dont je tâchai d'adou-
cir la douleur de cette charmante affligée, nous sortîmes
de là et, demandant à Léandre ce qui lui semblait de
115 cette personne, il me répondit froidement qu'il la
trouvait assez jolie. Je fus piqué[3] de la froideur avec
laquelle il m'en parlait, et je ne voulus point lui découvrir
l'effet que ses beautés avaient fait sur mon âme.

SYLVESTRE, *à Octave.*   Si vous n'abrégez ce récit, nous
120 en voilà pour jusqu'à demain. Laissez-le-moi finir en
deux mots. (*À Scapin.*) Son cœur prend feu dès ce
moment. Il ne saurait plus vivre qu'il n'aille consoler
son aimable affligée[4]. Ses fréquentes visites sont rejetées
de la servante, devenue la gouvernante par le trépas[5] de
125 la mère : voilà mon homme au désespoir. Il presse,

---

1. *Percée :* touchée.
2. *Barbare :* sans finesse et sans culture.
3. *Piqué :* agacé, vexé.
4. *Affligée :* désolée, désespérée.
5. *Le trépas :* la mort.

supplie, conjure : point d'affaire[1]. On lui dit que la fille, quoique sans bien et sans appui, est de famille honnête[2] et qu'à moins que de l'épouser, on ne peut souffrir ses poursuites[3] ; voilà son amour augmenté par les difficultés.

130 Il consulte[4] dans sa tête, agite[5], raisonne, balance, prend sa résolution : le voilà marié avec elle depuis trois jours.

SCAPIN. J'entends.

SYLVESTRE. Maintenant, mets avec cela le retour
135 imprévu du père, qu'on n'attendait que dans deux mois ; la découverte que l'oncle a faite du secret de notre mariage, et l'autre mariage qu'on veut faire de lui[6] avec la fille que le seigneur Géronte a eue d'une seconde femme qu'on dit qu'il a épousée à Tarente.

140 OCTAVE. Et par-dessus tout cela, mets encore l'indigence[7] où se trouve cette aimable personne et l'impuissance où je me vois d'avoir de quoi la secourir.

SCAPIN. Est-ce là tout ? Vous voilà bien embarrassés tous deux pour une bagatelle ! C'est bien là de quoi se
145 tant alarmer ! N'as-tu point de honte, toi[8], de demeurer court[9] à si peu de chose ? Que diable ! te voilà grand et gros comme père et mère, et tu ne saurais trouver dans ta tête, forger dans ton esprit, quelque ruse

---

1. *Point d'affaire :* rien à faire.
2. *Honnête :* honorable.
3. *Souffrir ses poursuites :* accepter qu'il continue à la fréquenter.
4. *Il consulte :* il réfléchit.
5. *Agite :* pèse le pour et le contre.
6. *Lui :* Octave.
7. *Indigence :* pauvreté.
8. *Toi :* Sylvestre.
9. *Demeurer court :* être désemparé et impuissant.

galante[1], quelque honnête petit stratagème, pour ajuster[2] vos affaires ? Fi ! Peste soit du butor[3] ! Je voudrais bien que l'on m'eût donné autrefois nos vieillards à duper : je les aurais joués tous deux par-dessous la jambe, et je n'étais pas plus grand que cela que je me signalais déjà par cent tours d'adresse jolis[4].

SYLVESTRE.   J'avoue que le Ciel ne m'a pas donné tes talents, et que je n'ai pas l'esprit, comme toi, de me brouiller avec la justice.

OCTAVE.   Voici mon aimable Hyacinte.

---

1. *Galante :* fine et hardie, astucieuse.
2. *Ajuster :* arranger.
3. *Butor :* grossier personnage.
4. *Jolis :* réalisés avec aisance.

Acte I, scène 2

LES PERSONNAGES

1. En vous appuyant sur le texte, faites le portrait de Scapin.
2. Pourquoi Scapin a-t-il décidé de ne plus se mêler de rien, au début de la scène ? Pourquoi, à votre avis, change-t-il d'avis, en écoutant Octave ? Vous étudierez l'évolution de sa position avec soin, en citant le texte, si besoin est.
3. Comment Scapin marque-t-il sa supériorité sur Sylvestre ?
4. Quels mots ou expressions dévoilent le mieux les sentiments qu'Octave nourrit envers Hyacinte ?
5. Montrez que le dénuement de Hyacinte renforce l'amour qu'Octave lui porte.

L'EXPRESSION ET L'ART DU RÉCIT

6. En quoi le récit de la détresse de Hyacinte est-il pathétique (vous chercherez le sens de ce mot dans le dictionnaire) ? Relevez les mots et expressions les plus significatifs.
7. Le récit de la rencontre entre Octave et Hyacinte vous semble-t-il vraisemblable ou romanesque ? Après avoir vérifié le sens de ces deux mots dans le dictionnaire, vous justifierez votre réponse.
8. Étudiez les commentaires que glissent Scapin et Sylvestre entre les différentes parties des récits d'Octave. Pourquoi sont-ils comiques ? En quoi les deux valets peuvent-ils passer pour les porte-parole des spectateurs ?
9. Étudiez le « temps de parole » accordé à chacun des personnages. Qui parle le plus en début de scène, puis en fin de scène ? Pourquoi ?
10. Montrez que le maître et les valets n'ont pas la même façon de s'exprimer. Citez le texte.

L'INTÉRÊT DE LA SCÈNE

11. Montrez que l'idée que se fait le spectateur de chacun des personnages se précise. Citez le texte à l'appui de vos réponses.
12. Un critique, Pierre Brison, a écrit que Scapin « fait claquer sa fourberie comme un drapeau ». Pensez-vous que ce jugement s'applique déjà à cette scène ?
13. Quels sont les personnages qui ont un problème à résoudre ? Quel est ce problème ?

SCÈNE 3. HYACINTE, OCTAVE, SCAPIN, SYLVESTRE.

HYACINTE. Ah ! Octave, est-il vrai ce que Sylvestre vient de dire à Nérine, que votre père est de retour et qu'il veut vous marier ?

OCTAVE. Oui, belle Hyacinte, et ces nouvelles m'ont
5 donné une atteinte[1] cruelle. Mais que vois-je ? vous pleurez ? Pourquoi ces larmes ? Me soupçonnez-vous, dites-moi, de quelque infidélité, et n'êtes-vous pas assurée de l'amour que j'ai pour vous ?

HYACINTE. Oui, Octave, je suis sûre que vous m'aimez,
10 mais je ne le suis pas que vous m'aimiez toujours.

OCTAVE. Eh ! peut-on vous aimer qu'on ne vous aime toute sa vie ?

HYACINTE. J'ai ouï dire[2], Octave, que votre sexe[3] aime moins longtemps que le nôtre, et que les ardeurs[4] que
15 les hommes font voir sont des feux qui s'éteignent aussi facilement qu'ils naissent.

OCTAVE. Ah ! ma chère Hyacinte, mon cœur n'est donc pas fait comme celui des hommes, et je sens bien, pour moi, que je vous aimerai jusqu'au tombeau.

20 HYACINTE. Je veux croire que vous sentez ce que vous dites, et je ne doute point que vos paroles ne soient sincères ; mais je crains un pouvoir[5] qui combattra dans votre cœur les tendres sentiments que vous pouvez avoir pour moi. Vous dépendez d'un père qui veut vous

---

1. *Atteinte :* coup.
2. *J'ai ouï dire :* j'ai entendu dire.
3. *Votre sexe :* les hommes.
4. *Les ardeurs :* l'amour.
5. *Un pouvoir :* le pouvoir de votre père.

25 marier à une autre personne, et je suis sûre que je
mourrai si ce malheur m'arrive.

OCTAVE. Non, belle Hyacinte, il n'y a point de père
qui puisse me contraindre à vous manquer de foi[1], et
je me résoudrai à quitter mon pays, et le jour même[2],
30 s'il est besoin, plutôt qu'à vous quitter. J'ai déjà pris,
sans l'avoir vue, une aversion[3] effroyable pour celle que
l'on me destine, et, sans être cruel, je souhaiterais que
la mer l'écartât d'ici pour jamais. Ne pleurez donc
point, je vous prie, mon aimable Hyacinte, car vos
35 larmes tuent, et je ne les puis voir sans me sentir percer
le cœur.

HYACINTE. Puisque vous le voulez, je veux bien essuyer
mes larmes, et j'attendrai d'un œil constant[4], ce qu'il
plaira au Ciel de résoudre de moi[5].

40 OCTAVE. Le Ciel nous sera favorable.

HYACINTE. Il ne saurait m'être contraire, si vous m'êtes
fidèle.

OCTAVE. Je le serai assurément.

HYACINTE. Je serai donc heureuse.

45 SCAPIN, *à part*. Elle n'est pas tant sotte, ma foi, et je
la trouve assez passable[6].

OCTAVE, *montrant Scapin*. Voici un homme qui pourrait
bien, s'il le voulait, nous être dans tous nos besoins
d'un secours merveilleux.

---

1. *Foi :* fidélité.
2. *Le jour même :* la vie elle-même.
3. *Une aversion :* un dégoût, une haine.
4. *D'un œil constant :* avec patience et fermeté.
5. *Ce qu'il plaira au Ciel de résoudre de moi :* ce que Dieu me réserve.
6. *Passable :* appréciable.

50 SCAPIN. J'ai fait de grands serments de ne me mêler plus du monde, mais, si vous m'en priez bien fort tous deux, peut-être...

OCTAVE. Ah ! s'il ne tient qu'à te prier bien fort pour obtenir ton aide, je te conjure de tout mon cœur de 55 prendre la conduite de notre barque[1].

SCAPIN, *à Hyacinte.* Et vous, ne me dites-vous rien ?

HYACINTE. Je vous conjure, à son exemple, par tout ce qui vous est le plus cher au monde, de vouloir servir notre amour.

60 SCAPIN. Il faut se laisser vaincre et avoir de l'humanité. Allez, je veux m'employer pour vous.

OCTAVE. Crois que...

SCAPIN, *à Octave.* Chut ! *(À Hyacinte.)* Allez-vous-en, vous, et soyez en repos. *(À Octave.)* Et vous, préparez-65 vous à soutenir avec fermeté l'abord[2] de votre père.

OCTAVE. Je t'avoue que cet abord me fait trembler par avance, et j'ai une timidité naturelle que je ne saurais vaincre.

SCAPIN. Il faut pourtant paraître ferme au premier 70 choc, de peur que, sur votre faiblesse, il ne prenne le pied de vous mener comme un enfant[3]. Là, tâchez de vous composer par étude[4]. Un peu de hardiesse, et songez à répondre résolument sur tout ce qu'il pourra vous dire.

75 OCTAVE. Je ferai du mieux que je pourrai.

---

1. *De prendre la conduite de notre barque :* de t'occuper de nos affaires.
2. *L'abord :* l'arrivée.
3. *Que sur votre faiblesse, ... un enfant :* qu'il ne s'appuie sur votre faiblesse pour vous mener comme un enfant.
4. *De vous composer par étude :* de vous forger une attitude.

SCAPIN.   Là, essayons un peu pour vous accoutumer. Répétons un peu votre rôle, et voyons si vous ferez bien. Allons. La mine résolue, la tête haute, les regards assurés.

80   OCTAVE.   Comme cela ?

SCAPIN.   Encore un peu davantage.

OCTAVE.   Ainsi ?

SCAPIN.   Bon ! Imaginez-vous que je suis votre père qui arrive, et répondez-moi fermement, comme si c'était
85   à lui-même. « Comment ! pendard[1], vaurien, infâme, fils indigne d'un père comme moi, oses-tu bien paraître devant mes yeux après tes bons déportements[2], après le lâche tour que tu m'as joué pendant mon absence ? Est-ce là le fruit de mes soins, maraud, est-ce là le fruit
90   de mes soins ? le respect qui m'est dû ? le respect que tu me conserves ? » Allons donc ! « Tu as l'insolence, fripon, de t'engager sans le consentement de ton père, de contracter un mariage clandestin ? Réponds-moi, coquin ! réponds-moi ! Voyons un peu tes belles
95   raisons ! » Oh ! que diable ! vous demeurez interdit ?

OCTAVE.   C'est que je m'imagine que c'est mon père que j'entends.

SCAPIN.   Eh ! oui ! C'est par cette raison qu'il ne faut pas être comme un innocent[3].

100   OCTAVE.   Je m'en vais prendre plus de résolution, et je répondrai fermement.

SCAPIN.   Assurément ?

OCTAVE.   Assurément.

---

1. *Pendard :* vaurien, coquin.
2. *Déportements :* conduite, comportement.
3. *Innocent :* simple d'esprit.

SYLVESTRE.   Voilà votre père qui revient.

OCTAVE, *s'enfuyant*.   Ô Ciel ! je suis perdu !

SCAPIN.   Holà ! Octave, demeurez, Octave ! Le voilà enfui ! Quelle pauvre espèce d'homme ! Ne laissons pas[1] d'attendre le vieillard.

SYLVESTRE.   Que lui dirai-je ?

SCAPIN.   Laisse-moi dire, moi, et ne fais que me suivre.

1. *Ne laissons pas :* ne manquons pas.

Acte I, scène 3

L'ACTION ET LES PERSONNAGES

1. Sommes-nous encore dans une scène d'exposition ? Quelle est l'organisation de cette scène ? Donnez un titre expressif à chacune de ses parties.
2. Hyacinte est-elle conforme à l'idée que vous vous en faisiez à la scène précédente ? Trouvez-vous, comme Jacques Copeau, qu'elle soit « très petite fille, un peu pleurnicharde » ? Justifiez votre réponse.
3. Étudiez l'expression de l'amour de Hyacinte pour Octave. Comment le qualifieriez-vous ?
4. Octave est-il un personnage sûr de lui vis-à-vis de Hyacinte, de Scapin ? Qu'apprend-on de ses relations avec son père ?
5. Montrez, en citant le texte, que Scapin est le personnage le plus solide de tous.
6. Scapin n'est-il qu'un simple valet ? Comment inverse-t-il les rôles dans le cours de la scène ?
7. Quels nouveaux traits du caractère de Scapin découvre-t-on dans cette scène ?

L'ART DE MOLIÈRE

8. Étudiez la prise de parole dans cette scène : pourquoi Scapin reste-t-il muet au début ? Que signifie son intervention dans le milieu de la scène et l'abandon des amoureux à la fin ?
9. Isolez le passage de « théâtre dans le théâtre ». Quels en sont les rôles ? Montrez que Scapin connaît bien Octave, ses faiblesses et la crainte qu'il a de son père. Ce passage est-il drôle ? Est-il utile pour la suite des événements ? Pourquoi ?
10. Imaginez les différents jeux de scène de ce passage. Comment vous représentez-vous Octave avant qu'il ne se sauve ?

L'IMPRESSION DU SPECTATEUR

11. Quels sentiments successifs le spectateur éprouve-t-il au cours de cette scène ?
12. Vers quels personnages va sa sympathie ? Ses sentiments évoluent-ils depuis la première scène de cet acte ?
13. Les passages les plus comiques de la scène sont-ils dus au texte ? à la situation ? aux mimiques des acteurs ? Citez les passages de la scène se rapportant à ces différents types de comique.

SCÈNE 4.   ARGANTE, SCAPIN, SYLVESTRE.

ARGANTE, *se croyant seul*.   A-t-on jamais ouï parler d'une action pareille à celle-là ?

SCAPIN.   Il a déjà appris l'affaire, et elle lui tient si fort en tête que tout seul il en parle haut.

5 ARGANTE, *se croyant seul*.   Voilà une témérité bien grande !

SCAPIN.   Écoutons-le un peu.

ARGANTE, *se croyant seul*.   Je voudrais savoir ce qu'ils me pourront dire sur ce beau mariage.

10 SCAPIN, *à part*.   Nous y avons songé.

ARGANTE, *se croyant seul*.   Tâcheront-ils de me nier la chose ?

SCAPIN.   Non, nous n'y pensons pas.

ARGANTE, *se croyant seul*.   Ou s'ils entreprendront de 15 l'excuser ?

SCAPIN.   Celui-là[1] se pourra faire.

ARGANTE, *se croyant seul*.   Prétendront-ils m'amuser par des contes en l'air[2] ?

SCAPIN.   Peut-être.

20 ARGANTE, *se croyant seul*.   Tous leurs discours seront inutiles.

SCAPIN.   Nous allons voir.

ARGANTE, *se croyant seul*.   Ils ne m'en donneront point à garder[3].

25 SCAPIN.   Ne jurons de rien.

---

1. *Celui-là :* cela.
2. *Des contes en l'air :* des histoires invraisemblables.
3. *Ils ne m'en donneront point à garder :* ils ne me tromperont pas.

ARGANTE, *se croyant seul.* Je saurai mettre mon pendard de fils en lieu de sûreté[1].

SCAPIN. Nous y pourvoirons[2].

ARGANTE, *se croyant seul.* Et pour le coquin de Sylvestre, 30 je le rouerai de coups.

SYLVESTRE, *à Scapin.* J'étais bien étonné, s'il m'oubliait.

ARGANTE, *apercevant Sylvestre.* Ah ! ah ! vous voilà donc, sage gouverneur de famille, beau directeur de jeunes gens !

35 SCAPIN. Monsieur, je suis ravi de vous voir de retour.

ARGANTE. Bonjour, Scapin. *(À Sylvestre.)* Vous avez suivi mes ordres vraiment d'une belle manière, et mon fils s'est comporté fort sagement pendant mon absence !

SCAPIN. Vous vous portez bien, à ce que je vois ?

40 ARGANTE. Assez bien. *(À Sylvestre.)* Tu ne dis mot, coquin, tu ne dis mot !

SCAPIN. Votre voyage a-t-il été bon ?

ARGANTE. Mon Dieu, fort bon. Laisse-moi un peu quereller en repos !

45 SCAPIN. Vous voulez quereller ?

ARGANTE. Oui, je veux quereller.

SCAPIN. Et qui, Monsieur ?

ARGANTE, *montrant Sylvestre.* Ce maraud-là.

SCAPIN. Pourquoi ?

50 ARGANTE. Tu n'as pas ouï parler de ce qui s'est passé dans mon absence ?

SCAPIN. J'ai bien ouï parler de quelque petite chose.

---

1. *En lieu de sûreté :* en prison. Les parents avaient le droit de demander qu'on mette leurs enfants en prison.
2. *Nous y pourvoirons :* nous ferons le nécessaire pour cela.

ARGANTE.   Comment, quelque petite chose ! Une action de cette nature ?

55 SCAPIN.   Vous avez quelque raison...

ARGANTE.   Une hardiesse pareille à celle-là ?

SCAPIN.   Cela est vrai.

ARGANTE.   Un fils qui se marie sans le consentement de son père ?

60 SCAPIN.   Oui, il y a quelque chose à dire[1] à cela. Mais je serais d'avis que vous ne fissiez point de bruit.

ARGANTE.   Je ne suis pas de cet avis et je veux faire du bruit, tout mon soûl[2]. Quoi ! tu ne trouves pas que j'aie tous les sujets du monde d'être en colère ?

65 SCAPIN.   Si fait ! j'y ai d'abord été[3], moi, lorsque j'ai su la chose, et je me suis intéressé pour vous[4] jusqu'à quereller votre fils. Demandez-lui un peu quelles belles réprimandes je lui ai faites, et comme je l'ai chapitré[5] sur le peu de respect qu'il gardait à un père dont il 70 devait baiser les pas. On ne peut pas lui mieux parler, quand ce serait vous-même. Mais quoi ! je me suis rendu à la raison et j'ai considéré que, dans le fond, il n'a pas tant de tort qu'on pourrait croire.

ARGANTE.   Que me viens-tu conter ? Il n'a pas tant de 75 tort de s'aller marier de but en blanc avec une inconnue ?

SCAPIN.   Que voulez-vous ? Il a été poussé par sa destinée.

ARGANTE.   Ah ! ah ! voici une raison la plus belle du monde ! On n'a plus qu'à commettre tous les crimes

---

1. *À dire* : à redire.
2. *Tout mon soûl* : autant que je le désire.
3. *J'y ai d'abord été* : j'ai d'abord été en colère.
4. *Je me suis intéressé pour vous* : j'ai pris votre parti.
5. *Chapitré* : réprimandé.

80 imaginables, tromper, voler, assassiner, et dire pour excuse qu'on y a été poussé par sa destinée.

SCAPIN.   Mon Dieu, vous prenez mes paroles trop en philosophe. Je veux dire qu'il s'est trouvé fatalement engagé dans cette affaire.

85 ARGANTE.   Et pourquoi s'y engageait-il ?

SCAPIN.   Voulez-vous qu'il soit aussi sage que vous ? Les jeunes gens sont jeunes, et n'ont pas toute la prudence qu'il leur faudrait pour ne rien faire que de raisonnable : témoin notre Léandre, qui, malgré toutes 90 mes leçons, malgré toutes mes remontrances, est allé faire, de son côté, pis encore que votre fils. Je voudrais bien savoir si vous-même n'avez pas été jeune et n'avez pas, dans votre temps, fait des fredaines comme les autres. J'ai ouï dire, moi, que vous avez été autrefois 95 un compagnon parmi les femmes, que vous faisiez le drôle avec les plus galantes[1] de ce temps-là, et que vous n'en approchiez point que vous ne poussassiez à bout.

ARGANTE.   Cela est vrai, j'en demeure d'accord ; mais 100 je m'en suis toujours tenu à la galanterie[2] et je n'ai point été jusqu'à faire ce qu'il a fait.

SCAPIN.   Que vouliez-vous qu'il fît ? Il voit une jeune personne qui lui veut du bien (car il tient cela de vous, d'être aimé de toutes les femmes). Il la trouve charmante. 105 Il lui rend des visites, lui conte des douceurs, soupire galamment, fait le passionné. Elle se rend à sa poursuite. Il pousse sa fortune[3]. Le voilà surpris avec elle par ses

---

1. *Vous faisiez le drôle avec les plus galantes :* vous meniez joyeuse vie avec les plus coquettes.
2. *Je m'en suis toujours tenu à la galanterie :* je me suis toujours contenté de courtiser sans épouser.
3. *Il pousse sa fortune :* il profite de sa bonne fortune, de sa chance.

parents, qui, la force à la main[1], le contraignent de
l'épouser.

10 SYLVESTRE, *à part*.   L'habile fourbe que voilà !

SCAPIN.   Eussiez-vous voulu qu'il se fût laissé tuer ? Il
vaut mieux encore être marié qu'être mort.

ARGANTE.   On ne m'a pas dit que l'affaire se soit ainsi
passée.

15 SCAPIN, *montrant Sylvestre*.   Demandez-lui plutôt. Il ne
vous dira pas le contraire.

ARGANTE, *à Sylvestre*.   C'est par force qu'il a été marié ?

SYLVESTRE.   Oui, Monsieur.

SCAPIN.   Voudrais-je vous mentir ?

20 ARGANTE.   Il devait donc aller tout aussitôt protester
de violence[2] chez un notaire.

SCAPIN.   C'est ce qu'il n'a pas voulu faire.

ARGANTE.   Cela m'aurait donné plus de facilité à
rompre ce mariage.

25 SCAPIN.   Rompre ce mariage ?

ARGANTE.   Oui.

SCAPIN.   Vous ne le romprez point.

ARGANTE.   Je ne le romprai point ?

SCAPIN.   Non.

30 ARGANTE.   Quoi ! je n'aurai pas pour moi les droits
de père et la raison de la violence qu'on a faite à mon
fils ?

SCAPIN.   C'est une chose dont il ne demeurera pas
d'accord.

---

1. *La force à la main* : une arme à la main.
2. *Protester de violence* : engager un procès sous prétexte qu'il s'est
marié sous la contrainte.

135 ARGANTE. Il n'en demeurera pas d'accord ?

SCAPIN. Non.

ARGANTE. Mon fils ?

SCAPIN. Votre fils. Voulez-vous qu'il confesse qu'il ait été capable de crainte, et que ce soit par force qu'on 140 lui ait fait faire les choses ? Il n'a garde d'aller avouer cela. Ce serait se faire tort, et se montrer indigne d'un père comme vous.

ARGANTE. Je me moque de cela.

SCAPIN. Il faut, pour son honneur et pour le vôtre, 145 qu'il dise dans le monde que c'est de bon gré qu'il l'a épousée.

ARGANTE. Et je veux, moi, pour mon honneur et pour le sien, qu'il dise le contraire.

SCAPIN. Non, je suis sûr qu'il ne le fera pas.

150 ARGANTE. Je l'y forcerai bien.

SCAPIN. Il ne le fera pas, vous dis-je.

ARGANTE. Il le fera, ou je le déshériterai.

SCAPIN. Vous ?

ARGANTE. Moi.

155 SCAPIN. Bon !

ARGANTE. Comment, bon !

SCAPIN. Vous ne le déshériterez point.

ARGANTE. Je ne le déshériterai point ?

SCAPIN. Non.

160 ARGANTE. Non ?

SCAPIN. Non.

ARGANTE. Ouais ! voici qui est plaisant. Je ne déshériterai point mon fils ?

SCAPIN. Non, vous dis-je.

165 ARGANTE.   Qui m'en empêchera ?

SCAPIN.   Vous-même.

ARGANTE.   Moi ?

SCAPIN.   Oui. Vous n'aurez pas ce cœur-là[1].

ARGANTE.   Je l'aurai.

170 SCAPIN.   Vous vous moquez !

ARGANTE.   Je ne me moque point.

SCAPIN.   La tendresse paternelle fera son office.

ARGANTE.   Elle ne fera rien.

SCAPIN.   Oui. oui.

175 ARGANTE.   Je vous dis que cela sera.

SCAPIN.   Bagatelles[2] !

ARGANTE.   Il ne faut point dire : Bagatelles.

SCAPIN.   Mon Dieu, je vous connais, vous êtes bon naturellement.

180 ARGANTE.   Je ne suis point bon, et je suis méchant, quand je veux. Finissons ce discours qui m'échauffe la bile[3]. *(En s'adressant à Sylvestre.)* Va-t'en, pendard, va-t'en me chercher mon fripon tandis que j'irai rejoindre le seigneur Géronte pour lui conter ma disgrâce[4].

185 SCAPIN.   Monsieur, si je vous puis être utile en quelque chose, vous n'avez qu'à me commander.

ARGANTE.   Je vous remercie. *(À part.)* Ah ! pourquoi faut-il qu'il soit fils unique ! Et que n'ai-je à cette heure la fille que le Ciel m'a ôtée, pour la faire mon héritière !

---

1. *Ce cœur-là :* ce courage-là.
2. *Bagatelles :* bêtises.
3. *Qui m'échauffe la bile :* qui me met en colère.
4. *Ma disgrâce :* mes ennuis.

Acte I, scène 4

L'ORGANISATION DE LA SCÈNE ET LES PERSONNAGES

1. En vous appuyant sur la longueur des répliques, précisez l'organisation de cette scène et donnez un titre à chacune de ses parties.
2. Résumez toute la scène en quelques lignes.
3. Argante correspond-il à l'image que vous en aviez précédemment ?
4. Comment Molière a-t-il montré l'égarement et la colère d'Argante au début de la scène ?
5. En quoi consistent les droits d'un père, au XVIIᵉ siècle (l. 130) ?
6. Pourquoi Argante admet-il que Scapin (qui n'est qu'un valet) le contredise ? Qu'en déduisez-vous sur l'art de la farce en général ?
7. Pourquoi Scapin préfère-t-il écouter Argante, lorsqu'il parle tout seul (l. 7) ?
8. Scapin n'est-il que l'avocat d'Octave ? Justifiez l'emploi du pronom « nous » (l. 10).
9. Scapin utilise divers arguments dans les lignes 55 à 189. Montrez, en citant le texte, qu'il commence par aller en apparence dans le sens d'Argante. Pourquoi essaie-t-il d'excuser Octave en rappelant à Argante ses erreurs de jeunesse (l. 91 à 98) ? Trouvez-vous ce procédé habile ? Comment Scapin essaie-t-il de jouer sur l'orgueil d'Argante (l. 138 à 146) ? Quel est l'ultime argument de Scapin à la fin de la scène ? porte-t-il ses fruits ?

LE COMIQUE

10. Citez les moments les plus drôles de la scène. Expliquez ce qui crée le comique (le langage, les jeux de scène, la situation, etc.) dans les passages choisis.
11. Montrez comment les différences de rythme et de longueur des répliques contribuent à la drôlerie de la scène.

L'INTÉRÊT DE LA SCÈNE

12. Pourquoi cette scène est-elle capitale ? Appuyez-vous sur les informations des lignes 89-91 et 187-189 pour répondre à cette question.
13. En quoi peut-on dire qu'à présent Scapin devient le « maître » de l'action ?

SCÈNE 5. SCAPIN, SYLVESTRE.

SYLVESTRE. J'avoue que tu es un grand homme, et voilà l'affaire en bon train, mais l'argent[1], d'autre part, nous presse pour notre subsistance, et nous avons de tous côtés des gens qui aboient après nous.

5 SCAPIN. Laisse-moi faire, la machine est trouvée. Je cherche seulement dans ma tête un homme qui nous soit affidé[2], pour jouer un personnage dont j'ai besoin. Attends. Tiens-toi un peu. Enfonce ton bonnet en méchant garçon. Campe-toi sur un pied. Mets ta main
10 au côté. Fais les yeux furibonds. Marche un peu en roi de théâtre[3]. Voilà qui est bien. Suis-moi. J'ai les secrets pour déguiser ton visage et ta voix.

SYLVESTRE. Je te conjure de ne m'aller point brouiller avec la justice.

15 SCAPIN. Va, va, nous partagerons les périls en frères ; et trois ans de galères[4] de plus ou de moins ne sont pas pour arrêter un noble cœur.

---

1. *L'argent :* le besoin d'argent.
2. *Affidé :* dévoué.
3. *Roi de théâtre :* personnage qui, au théâtre, joue le rôle des rois. Il était d'ordinaire ventru.
4. *Trois ans de galère :* les criminels étaient condamnés à ramer pour faire avancer les galères de l'État (bâtiments de guerre).

Acte I, scène 5

L'ENSEMBLE DE LA SCÈNE

1. Où se situe cette scène ? Quelle est sa fonction ?
2. Quel élément nouveau apporte-t-elle ?

LES PERSONNAGES

3. Montrez que Scapin est sûr de lui. Relevez quelques expressions significatives.

4. Pensez-vous que Scapin soit capable de risquer trois années de galère pour sauver l'amour de quelques jeunes gens ? Justifiez votre réponse grâce à ce que vous savez déjà du caractère de Scapin.

5. Sylvestre a-t-il la même grandeur que Scapin ? Citez le texte.

6. À partir de la réplique de Scapin (lignes 8 à 12), déduisez le jeu de scène de Sylvestre.

7. Pourquoi, à votre avis, Sylvestre se prête-t-il aux machinations de Scapin ?

QUESTIONS SUR L'ENSEMBLE DE L'ACTE I

1. Résumez les différentes informations contenues dans cet acte.

2. Dressez le portrait de chacun des personnages et précisez les rapports qu'ils entretiennent les uns avec les autres.

3. Repérez les différents éléments du comique de Molière : comique de mots, de geste, de caractère, de situation. Quels sont les personnages qui illustrent un type de comique en particulier ? Citez des passages du texte.

4. Précisez l'intérêt dramatique de ce premier acte.

5. Quels sont les sentiments des spectateurs à l'issue de cet acte ?

Acte II

SCÈNE PREMIÈRE. GÉRONTE, ARGANTE.

GÉRONTE. Oui, sans doute, par le temps qu'il fait, nous aurons ici nos gens[1] aujourd'hui ; et un matelot qui vient de Tarente m'a assuré qu'il avait vu mon homme qui était près de s'embarquer. Mais l'arrivée de
5 ma fille trouvera les choses mal disposées à ce que nous nous proposions, et ce que vous venez de m'apprendre de votre fils rompt étrangement les mesures[2] que nous avions prises ensemble.

ARGANTE. Ne vous mettez pas en peine ; je vous
10 réponds de renverser tout cet obstacle, et j'y travaille de ce pas.

GÉRONTE. Ma foi, seigneur Argante, voulez-vous que je vous dise ? l'éducation des enfants est une chose à quoi il faut s'attacher fortement.

15 ARGANTE. Sans doute. À quel propos cela ?

GÉRONTE. À propos de ce que les mauvais déportements des jeunes gens viennent le plus souvent de la mauvaise éducation que leurs pères leur donnent.

ARGANTE. Cela arrive parfois. Mais que voulez-vous
20 dire par là ?

GÉRONTE. Ce que je veux dire par là ?

ARGANTE. Oui.

---

1. *Nos gens* : les membres de la famille et les serviteurs (sens large).
2. *Mesures* : décisions.

Jean-Louis Barrault dans le rôle de Scapin.
Mise en scène de Louis Jouvet.
Théâtre de Marigny, 1949.

GÉRONTE. Que, si vous aviez, en brave père, bien morigéné[1] votre fils, il ne vous aurait pas joué le tour qu'il vous a fait.

ARGANTE. Fort bien. De sorte donc que vous avez bien morigéné le vôtre ?

---

1. *Morigéné :* éduqué, élevé.

GÉRONTE. Sans doute, et je serais bien fâché qu'il m'eût rien fait approchant de cela[1].

30 ARGANTE. Et si ce fils que vous avez, en brave père, si bien morigéné, avait fait pis encore que le mien, eh ?

GÉRONTE. Comment ?

ARGANTE. Comment ?

GÉRONTE. Qu'est-ce que cela veut dire ?

35 ARGANTE. Cela veut dire, seigneur Géronte, qu'il ne faut pas être si prompt[2] à condamner la conduite des autres, et que ceux qui veulent gloser[3] doivent bien regarder chez eux s'il n'y a rien qui cloche.

GÉRONTE. Je n'entends point cette énigme.

40 ARGANTE. On vous l'expliquera.

GÉRONTE. Est-ce que vous auriez ouï dire quelque chose de mon fils ?

ARGANTE. Cela se peut faire.

GÉRONTE. Et quoi encore ?

45 ARGANTE. Votre Scapin, dans mon dépit[4], ne m'a dit la chose qu'en gros, et vous pourrez, de lui ou de quelque autre, être instruit[5] du détail. Pour moi, je vais vite consulter un avocat, et aviser des biais[6] que j'ai à prendre. Jusqu'au revoir.

---

1. *Qu'il m'eût rien fait approchant de cela :* s'il avait fait quelque chose d'aussi condamnable que cela.
2. *Prompt :* rapide.
3. *Gloser :* critiquer.
4. *Dépit :* rage, amertume.
5. *Être instruit :* apprendre.
6. *Biais :* moyens détournés.

Acte II, scène 1

L'ACTION

1. Pourquoi la rencontre entre Argante et Géronte est-elle importante ?

2. Quelles informations apprenons-nous dans la première réplique de Géronte ?

3. Quel est l'intérêt de cette scène pour la suite de la pièce ?

LES PERSONNAGES

4. Pourquoi Géronte ne critique-t-il pas directement la mauvaise éducation qu'Argante aurait donnée à son fils (lignes 12 à 18) ? Quel trait nouveau de son caractère apparaît ici ?

5. À partir de quel moment Géronte perd-il son assurance ? Comment Molière montre-t-il alors que Géronte est mal à l'aise ?

6. Argante se laisse-t-il abattre par la conduite de son fils ?

7. Comment renverse-t-il la situation et finit-il par rendre Géronte mal à l'aise ? Montrez son habileté.

8. Faites maintenant une liste récapitulative des traits de caractère des deux personnages. Lequel est le moins antipathique ? Justifiez votre réponse.

LE COMIQUE

9. À quels moments rit-on de bon cœur dans cette scène ? Analysez dans chaque cas le procédé comique.

10. Dans la mise en scène de Louis Jouvet au Vieux-Colombier, en 1920, Géronte porte une ombrelle pour se garantir des rayons du soleil. Qu'apporte cet accessoire à son personnage ? Est-ce cet accessoire que vous choisiriez ? Justifiez votre réponse.

SCÈNE 2. LÉANDRE, GÉRONTE.

GÉRONTE, *seul.* Que pourrait-ce être que cette affaire-ci ? Pis encore que le sien ! Pour moi, je ne vois pas ce que l'on peut faire de pis, et je trouve que se marier sans le consentement de son père est une action qui
5 passe tout ce qu'on peut s'imaginer. Ah ! vous voilà !

LÉANDRE, *en courant à lui pour l'embrasser.* Ah ! mon père, que j'ai de joie de vous voir de retour !

GÉRONTE, *refusant de l'embrasser.* Doucement. Parlons un peu d'affaire.

10 LÉANDRE. Souffrez que je vous embrasse, et que...

GÉRONTE, *le repoussant encore.* Doucement, vous dis-je.

LÉANDRE. Quoi ! Vous me refusez, mon père, de vous exprimer mon transport[1] par mes embrassements ?

GÉRONTE. Oui. Nous avons quelque chose à démêler[2]
15 ensemble.

LÉANDRE. Et quoi ?

GÉRONTE. Tenez-vous, que je vous voie en face.

LÉANDRE. Comment ?

GÉRONTE. Regardez-moi entre deux yeux.

20 LÉANDRE. Hé bien ?

GÉRONTE. Qu'est-ce donc qu'il s'est passé ici ?

LÉANDRE. Ce qui s'est passé ?

GÉRONTE. Oui. Qu'avez-vous fait dans mon absence ?

LÉANDRE. Que voulez-vous, mon père, que j'aie fait ?

---

1. *Transport :* bonheur.
2. *Démêler :* éclaircir.

25 GÉRONTE.   Ce n'est pas moi qui veux que vous ayez fait, mais qui demande ce que c'est que vous avez fait.

LÉANDRE.   Moi ? je n'ai fait aucune chose dont vous ayez lieu de vous plaindre.

GÉRONTE.   Aucune chose ?

30 LÉANDRE.   Non.

GÉRONTE.   Vous êtes bien résolu[1].

LÉANDRE.   C'est que je suis sûr de mon innocence.

GÉRONTE.   Scapin pourtant a dit de vos nouvelles.

LÉANDRE.   Scapin !

35 GÉRONTE.   Ah ! ah ! ce mot vous fait rougir.

LÉANDRE.   Il vous a dit quelque chose de moi ?

GÉRONTE.   Ce lieu n'est pas tout à fait propre à vider[2] cette affaire, et nous allons l'examiner ailleurs. Qu'on se rende au logis. J'y vais revenir tout à l'heure. Ah !
40 traître, s'il faut que tu me déshonores, je te renonce pour mon fils[3], et tu peux bien pour jamais te résoudre à fuir de ma présence[4].

---

1. *Résolu :* sûr de soi.
2. *Vider :* tirer au clair.
3. *Je te renonce pour mon fils :* je te renie.
4. *Tu peux bien … ma présence :* tu n'auras plus jamais le droit de paraître devant moi.

Acte II, scène 2

LES RETROUVAILLES

1. Comment Géronte réagit-il en voyant son fils ? Et comment Léandre réagit-il en voyant son père ? Qu'en déduisez-vous sur les rapports qu'ils entretiennent ?

2. Comment Géronte passe-t-il du soupçon à la certitude au cours de son interrogatoire ?

3. Comment Géronte considère-t-il son fils dans cette scène ?

4. Montrez comment Léandre perd son assurance en face de son père. Citez le texte et les jeux de scène les plus significatifs.

5. Léandre ressemble-t-il à l'Octave de l'acte I, scène 3 ? Justifiez votre réponse.

6. Imaginez les sentiments éprouvés par Léandre à l'issue de cette scène.

LES MŒURS DU XIIᵉ SIÈCLE

7. Qu'apprend-on sur les mœurs du siècle de Louis XIV à la lecture de la première réplique de Géronte ?

8. Quels sont les mots les plus importants dans les lignes 40 à 42 ? Que nous dévoilent-ils sur la puissance des pères au XVIIᵉ siècle ? sur les réels dangers que courent Léandre et Octave ?

LE COMIQUE

9. Quels sont les passages les plus drôles de cette scène ? Pourquoi ?

10. Molière avait pour devise *Castigare mores ridendo* c'est-à-dire « Châtier les mœurs en riant ». Comment comprenez-vous cette devise ? S'applique-t-elle à cette scène ? Justifiez votre réponse.

SCÈNE 3. OCTAVE, SCAPIN, LÉANDRE.

LÉANDRE, *seul*.   Me trahir de cette manière ! Un coquin qui doit par cent raisons être le premier à cacher les choses que je lui confie, est le premier à les aller découvrir à mon père ! Ah ! je jure le Ciel que cette
5 trahison ne demeurera pas impunie.

OCTAVE.   Mon cher Scapin, que ne dois-je point à tes soins ! Que tu es un homme admirable ! et que le Ciel m'est favorable de t'envoyer à mon secours !

LÉANDRE.   Ah ! ah ! vous voilà. Je suis ravi de vous
10 trouver, Monsieur le coquin.

SCAPIN.   Monsieur, votre serviteur. C'est trop d'honneur que vous me faites.

LÉANDRE, *mettant l'épée à la main*.   Vous faites le méchant plaisant[1] ? Ah ! je vous apprendrai...

SCAPIN, *se mettant à genoux*.   Monsieur !
15
OCTAVE, *se mettant entre eux pour empêcher Léandre de le frapper*.   Ah ! Léandre !

LÉANDRE.   Non, Octave, ne me retenez point, je vous prie.

20 SCAPIN, *à Léandre*.   Eh ! Monsieur !

OCTAVE, *le retenant*.   De grâce !

LÉANDRE, *voulant frapper Scapin*.   Laissez-moi contenter mon ressentiment.

OCTAVE.   Au nom de l'amitié, Léandre, ne le maltraitez
25 point !

SCAPIN.   Monsieur, que vous ai-je fait ?

---

1. *Méchant plaisant :* personne qui fait des plaisanteries de mauvais goût.

LÉANDRE, *voulant le frapper*.   Ce que tu m'as fait, traître ?

OCTAVE, *le retenant*.   Eh ! doucement !

LÉANDRE.   Non, Octave, je veux qu'il me confesse lui-
30 même tout à l'heure[1] la perfidie[2] qu'il m'a faite. Oui,
coquin, je sais le trait[3] que tu m'as joué, on vient de
me l'apprendre, et tu ne croyais pas peut-être que l'on
me dût révéler ce secret ; mais je veux en avoir la
confession de ta propre bouche, ou je vais te passer
35 cette épée au travers du corps.

SCAPIN.   Ah ! Monsieur, auriez-vous bien ce cœur-là ?

LÉANDRE.   Parle donc.

SCAPIN.   Je vous ai fait quelque chose, Monsieur ?

LÉANDRE.   Oui, coquin, et ta conscience ne te dit que
40 trop ce que c'est.

SCAPIN.   Je vous assure que je l'ignore.

LÉANDRE, *s'avançant pour le frapper*.   Tu l'ignores !

OCTAVE, *le retenant*.   Léandre !

SCAPIN.   Eh bien ! Monsieur, puisque vous le voulez,
45 je vous confesse que j'ai bu avec mes amis ce petit
quartaut[4] de vin d'Espagne dont on vous fit présent il
y a quelques jours, et que c'est moi qui fis une fente
au tonneau, et répandis de l'eau autour pour faire croire
que le vin s'était échappé.

50 LÉANDRE.   C'est toi, pendard, qui m'as bu mon vin
d'Espagne, et qui as été cause que j'ai tant querellé la
servante, croyant que c'était elle qui m'avait fait le
tour ?

SCAPIN.   Oui, Monsieur, je vous en demande pardon.

---

1. *Tout à l'heure :* sur-le-champ.
2. *Perfidie :* trahison, fourberie.
3. *Le trait :* le tour.
4. *Quartaut :* petit tonneau de contenance variable.

55 LÉANDRE.   Je suis bien aise d'apprendre cela ; mais ce n'est pas l'affaire dont il est question maintenant.

SCAPIN.   Ce n'est pas cela, Monsieur ?

LÉANDRE.   C'est une autre affaire qui me touche bien plus, et je veux que tu me la dises.

60 SCAPIN.   Monsieur, je ne me souviens pas d'avoir fait autre chose.

LÉANDRE, *voulant le frapper*.   Tu ne veux pas parler ?

SCAPIN.   Eh !

OCTAVE, *le retenant*.   Tout doux !

65 SCAPIN.   Oui, Monsieur, il est vrai qu'il y a trois semaines que vous m'envoyâtes porter, le soir, une petite montre à la jeune Égyptienne que vous aimez. Je revins au logis, mes habits tout couverts de boue et le visage plein de sang, et vous dis que j'avais trouvé

70 des voleurs qui m'avaient bien battu et m'avaient dérobé la montre. C'était moi, Monsieur, qui l'avais retenue[1].

LÉANDRE.   C'est toi qui as retenu ma montre ?

SCAPIN.   Oui, Monsieur, afin de voir quelle heure il est.

75 LÉANDRE.   Ah ! ah ! j'apprends ici de jolies choses, et j'ai un serviteur fort fidèle, vraiment. Mais ce n'est pas encore cela que je demande.

SCAPIN.   Ce n'est pas cela ?

LÉANDRE.   Non, infâme ; c'est autre chose encore que

80 je veux que tu me confesses.

SCAPIN, *à part*.   Peste !

LÉANDRE.   Parle vite, j'ai hâte.

SCAPIN.   Monsieur, voilà tout ce que j'ai fait.

---

1. *Retenue :* conservée.

LÉANDRE, *voulant frapper Scapin.*   Voilà tout ?

85 OCTAVE, *se mettant au-devant.*   Eh !

SCAPIN.   Eh bien ! oui Monsieur, vous vous souvenez de ce loup-garou[1], il y a six mois, qui vous donna tant de coups de bâton, la nuit, et vous pensa faire rompre le cou[2] dans une cave où vous tombâtes en fuyant.

90 LÉANDRE.   Hé bien ?

SCAPIN.   C'était moi, Monsieur, qui faisais le loup-garou.

LÉANDRE.   C'était toi, traître, qui faisais le loup-garou ?

SCAPIN.   Oui, Monsieur, seulement pour vous faire
95 peur et vous ôter l'envie de me faire courir toutes les nuits, comme vous aviez coutume.

LÉANDRE.   Je saurai me souvenir en temps et lieu de tout ce que je viens d'apprendre. Mais je veux venir au fait, et que tu me confesses ce que tu as dit à mon
100 père.

SCAPIN.   À votre père ?

LÉANDRE.   Oui, fripon, à mon père.

SCAPIN.   Je ne l'ai pas seulement vu depuis son retour.

LÉANDRE.   Tu ne l'as pas vu ?

105 SCAPIN.   Non, Monsieur.

LÉANDRE.   Assurément ?

SCAPIN.   Assurément. C'est une chose que je vais vous faire dire par lui-même.

LÉANDRE.   C'est de sa bouche que je le tiens, pourtant.

110 SCAPIN.   Avec votre permission, il n'a pas dit la vérité.

---

1. *Loup-garou* : sorcier qui se transforme en loup la nuit.
2. *Vous pensa faire rompre le cou* : faillit vous rompre le cou.

Acte II, scène 3

L'ORGANISATION DE LA SCÈNE

1. Cette scène peut se diviser en trois parties. Lesquelles ?
2. L'action progresse-t-elle dans cette scène ? Justifiez votre réponse.

LES RAPPORTS DU MAÎTRE ET DU VALET

3. Quelle est l'attitude de Léandre vis-à-vis de Scapin ? Citez des passages précis du texte, et repérez les jeux de scène révélateurs des rapports qu'entretiennent Léandre et Scapin.
4. Comment Scapin se défend-il face aux menaces de son maître ? Définissez sa tactique. Est-il habile ? Pourquoi ?
5. Pensez-vous que Scapin craigne son maître ? Citez des passages précis de ses répliques pour justifier votre réponse.
6. Léandre défend-il sa position de maître ? Citez le texte.
7. Que nous apprend cette scène des rapports entre maîtres et valets au XVIIe siècle ? Comment les maîtres traitaient-ils leurs valets, et comment ceux-ci considéraient-ils leur maître ?

LE COMIQUE

8. Aux dépens de qui le spectateur rit-il dans cette scène ? Justifiez votre réponse.
9. Quels sont les moments les plus drôles de cette scène ? Justifiez vos choix en décrivant les jeux de scène et les mimiques des personnages.

SCÈNE 4. CARLE, SCAPIN, LÉANDRE, OCTAVE.

CARLE. Monsieur, je vous apporte une nouvelle qui est fâcheuse pour votre amour.

LÉANDRE. Comment ?

CARLE. Vos Égyptiens sont sur le point de vous enlever
5 Zerbinette, et elle-même, les larmes aux yeux, m'a chargé de venir promptement vous dire que, si dans deux heures vous ne songez à leur porter l'argent qu'ils vous ont demandé pour elle, vous l'allez perdre pour jamais.

10 LÉANDRE. Dans deux heures ?

CARLE. Dans deux heures.

LÉANDRE. Ah ! mon pauvre Scapin ! j'implore ton secours.

SCAPIN, *passant devant lui avec un air fier.* « Ah ! mon
15 pauvre Scapin ! » je suis « mon pauvre Scapin » à cette heure qu'on a besoin de moi.

LÉANDRE. Va, je te pardonne tout ce que tu viens de me dire, et pis encore, si tu me l'as fait.

SCAPIN. Non, non, ne me pardonnez rien. Passez-moi
20 votre épée au travers du corps. Je serai ravi que vous me tuiez.

LÉANDRE. Non. Je te conjure plutôt de me donner la vie en servant mon amour.

SCAPIN. Point, point, vous ferez mieux de me tuer.

25 LÉANDRE. Tu m'es trop précieux ; et je te prie de vouloir employer pour moi ce génie admirable[1] qui vient à bout de toute chose.

---

1. *Ce génie admirable :* ce talent merveilleux.

SCAPIN. Non, tuez-moi, vous dis-je.

LÉANDRE. Ah ! de grâce, ne songe plus à tout cela, et
30 pense à me donner le secours que je te demande.

OCTAVE. Scapin, il faut faire quelque chose pour lui.

SCAPIN. Le moyen, après une avanie[1] de la sorte ?

LÉANDRE. Je te conjure d'oublier mon emportement
et de me prêter ton adresse.

35 OCTAVE. Je joins mes prières aux siennes.

SCAPIN. J'ai cette insulte-là sur le cœur.

OCTAVE. Il faut quitter ton ressentiment.

LÉANDRE. Voudrais-tu m'abandonner, Scapin, dans la
cruelle extrémité[2] où se voit mon amour ?

40 SCAPIN. Me venir faire à l'improviste un affront comme
celui-là !

LÉANDRE. J'ai tort, je le confesse.

SCAPIN. Me traiter de coquin, de fripon, de pendard,
d'infâme !

45 LÉANDRE. J'en ai tous les regrets du monde.

SCAPIN. Me vouloir passer son épée au travers du
corps !

LÉANDRE. Je t'en demande pardon de tout mon cœur ;
et, s'il ne tient qu'à me jeter à tes genoux, tu m'y vois,
50 Scapin, pour te conjurer encore une fois de ne me point
abandonner.

OCTAVE. Ah ! ma foi, Scapin, il se faut rendre à cela.

SCAPIN. Levez-vous. Une autre fois, ne soyez point si
prompt.

55 LÉANDRE. Me promets-tu de travailler pour moi ?

---

1. *Avanie :* insulte, affront.
2. *La cruelle extrémité :* la situation dramatique.

SCAPIN. On y songera.

LÉANDRE. Mais tu sais que le temps presse !

SCAPIN. Ne vous mettez pas en peine. Combien est-ce qu'il vous faut ?

60 LÉANDRE. Cinq cents écus[1].

SCAPIN. Et à vous ?

OCTAVE. Deux cents pistoles[2].

SCAPIN. Je veux tirer cet argent de vos pères. *(À Octave.)* Pour ce qui est du vôtre, la machine est déjà
65 toute trouvée. *(À Léandre.)* Et quant au vôtre, bien qu'avare au dernier degré, il y faudra moins de façons encore ; car vous savez que, pour l'esprit, il n'en a pas, grâces à Dieu, grande provision, et je le livre[3] pour une espèce d'homme à qui l'on fera toujours croire tout ce
70 que l'on voudra. Cela ne vous offense point, il ne tombe entre lui et vous aucun soupçon de ressemblance... Mais j'aperçois venir le père d'Octave. Commençons par lui, puisqu'il se présente. Allez-vous-en tous deux. *(À Octave.)* Et vous, avertissez votre Sylvestre de venir
75 vite jouer son rôle.

1. *Écu* : pièce d'argent valant trois livres.
2. *Pistole* : monnaie valant dix livres.
3. *Je le livre* : je le considère comme.

Acte II, scène 4

L'ACTION ET LES PERSONNAGES

1. Qu'est-ce qu'un « coup de théâtre » ? En quoi consiste-t-il ici ?

2. Quelles en sont les conséquences immédiates ? et à plus long terme ?

3. Comment Léandre réagit-il à la nouvelle ? Pourquoi peut-on penser qu'il est égoïste ?

4. Quelle est la fonction d'Octave dans cette scène ? Quel trait de son caractère apparaît ici ?

5. Étudiez le renversement de la situation en relevant des expressions caractéristiques du texte. Comment le valet devient-il le maître ?

6. Léandre s'agenouille devant Scapin qui le relève (lignes 48 à 54). Que pensez-vous de ce jeu de scène ? Quel personnage prend définitivement le pouvoir ? Pourquoi ?

7. Pour qui la situation nouvelle est-elle comique ? Précisez votre réponse.

L'ARGENT

8. Quelle est la somme la plus importante : cinq cents écus ou deux cents pistoles ?

9. Les fils de famille profitent-ils de la fortune de leurs parents, d'après les informations que nous donne Molière ?

10. Quelle importance Scapin accorde-t-il à l'argent ? Appuyez-vous pour répondre sur la réplique suivante : « Ne vous mettez pas en peine. Combien est-ce qu'il vous faut ? » (lignes 58-59). Pourquoi Scapin n'est-il pas lui-même riche, tant il lui semble facile de se procurer de l'argent ?

LE STYLE ET L'EXPRESSION

11. À partir de quel moment le rythme de la pièce se précipite-t-il ? Pourquoi ?

12. Comment se marque dans la ponctuation la capitulation de Léandre ? le triomphe de Scapin ?

13. Quel est l'effet des verbes à l'infinitif dans les répliques des lignes 40-41, 43-44 et 46-47 ?

SCÈNE 5. ARGANTE, SCAPIN.

SCAPIN, *à part.* Le voilà qui rumine.

ARGANTE, *se croyant seul.* Avoir si peu de conduite et de considération[1] ! S'aller jeter dans un engagement comme celui-là ! Ah ! ah ! jeunesse impertinente[2] !

5 SCAPIN. Monsieur, votre serviteur.

ARGANTE. Bonjour, Scapin.

SCAPIN. Vous rêvez à l'affaire de votre fils ?

ARGANTE. Je t'avoue que cela me donne un furieux[3] chagrin.

10 SCAPIN. Monsieur, la vie est mêlée de traverses[4]. Il est bon de s'y tenir sans cesse préparé ; et j'ai ouï dire, il y a longtemps, une parole d'un ancien[5] que j'ai toujours retenue.

ARGANTE. Quoi ?

15 SCAPIN. Que, pour peu qu'un père de famille ait été absent de chez lui, il doit promener son esprit sur tous les fâcheux accidents que son retour peut rencontrer : se figurer sa maison brûlée, son argent dérobé, sa femme morte, son fils estropié, sa fille subordonnée[6] ; et ce
20 qu'il trouve qu'il ne lui est point arrivé, l'imputer à bonne fortune. Pour moi, j'ai pratiqué toujours cette leçon dans ma petite philosophie, et je ne suis jamais revenu au logis que je ne me sois tenu prêt à la colère

---

1. *Considération :* jugement, réflexion.
2. *Impertinente :* qui ne fait pas ce qui convient.
3. *Furieux :* terrible.
4. *Traverses :* obstacles.
5. *Un ancien :* un auteur ancien, ici Térence (vers 185-159 av. J.-C.), poète comique latin (voir p. 144).
6. *Subordonnée :* séduite.

Scapin au cinéma,
interprétation et réalisation de Roger Coggio, 1981.

de mes maîtres, aux réprimandes, aux injures, aux coups
25 de pied au cul, aux bastonnades, aux étrivières[1], et ce
qui a manqué m'arriver, j'en ai rendu grâces à mon
bon destin.

ARGANTE.   Voilà qui est bien ; mais ce mariage impertinent, qui trouble celui que nous voulons faire, est une
30 chose que je ne puis souffrir, et je viens de consulter
des avocats pour le faire casser[2].

---

1. *Étrivières :* courroies de cuir tenant les étriers et qui servaient parfois
de fouet.
2. *Casser :* annuler.

SCAPIN.   Ma foi, Monsieur, si vous m'en croyez, vous tâcherez par quelque autre voie d'accommoder l'affaire. Vous savez ce que c'est que les procès en ce pays-ci,
35 et vous allez vous enfoncer dans d'étranges épines[1].

ARGANTE.   Tu as raison, je le vois bien. Mais quelle autre voie ?

SCAPIN.   Je pense que j'en ai trouvé une. La compassion que m'a donnée tantôt votre chagrin m'a obligé à
40 chercher dans ma tête quelque moyen pour vous tirer d'inquiétude : car je ne saurais voir d'honnêtes pères chagrinés par leurs enfants que cela ne m'émeuve, et de tout temps je me suis senti pour votre personne une inclination[2] particulière.

45 ARGANTE.   Je te suis obligé[3].

SCAPIN.   J'ai donc été trouver le frère de cette fille qui a été épousée. C'est un de ces braves de profession[4], de ces gens qui sont tous coups d'épée, qui ne parlent que d'échiner[5], et ne font non plus de conscience de
50 tuer un homme que d'avaler un verre de vin. Je l'ai mis sur ce mariage, lui ai fait voir quelle facilité offrait la raison[6] de la violence pour le faire casser, vos prérogatives[7] du nom de père, et l'appui que vous donneraient auprès de la justice et votre droit, et votre
55 argent, et vos amis. Enfin, je l'ai tant tourné de tous les côtés qu'il a prêté l'oreille aux propositions que je lui ai faites d'ajuster[8] l'affaire pour quelque somme, et

---

1. *Étranges épines :* graves problèmes.
2. *Une inclination :* une sympathie.
3. *Je te suis obligé :* je t'en suis reconnaissant.
4. *Braves de profession :* assassins à gage.
5. *Échiner :* casser les reins, tuer.
6. *La raison :* le motif.
7. *Prérogatives :* droits, pouvoirs.
8. *Ajuster :* arranger.

il donnera son consentement à rompre le mariage, pourvu que vous lui donniez de l'argent.

60 ARGANTE.   Et qu'a-t-il demandé ?

SCAPIN.   Oh ! d'abord, des choses par-dessus les maisons.

ARGANTE.   Et quoi ?

SCAPIN.   Des choses extravagantes.

65 ARGANTE.   Mais encore ?

SCAPIN.   Il ne parlait pas moins que de cinq ou six cents pistoles.

ARGANTE.   Cinq ou six cents fièvres quartaines[1] qui le puissent serrer ! Se moque-t-il des gens ?

70 SCAPIN.   C'est ce que je lui ai dit. J'ai rejeté bien loin de pareilles propositions, et je lui ai bien fait entendre que vous n'étiez point une dupe pour vous demander des cinq ou six cents pistoles. Enfin, après plusieurs discours, voici où s'est réduit le résultat de notre
75 conférence. « Nous voilà au temps, m'a-t-il dit, que je dois partir pour l'armée. Je suis après à[2] m'équiper, et le besoin que j'ai de quelque argent me fait consentir malgré moi à ce qu'on me propose. Il me faut un cheval de service[3] et je n'en saurais avoir un qui soit
80 tant soit peu raisonnable[4], à moins de soixante pistoles. »

ARGANTE.   Hé bien ! pour soixante pistoles je les donne.

SCAPIN.   « Il faudra le harnais et les pistolets, et cela ira bien à vingt pistoles encore. »

---

1. *Fièvres quartaines* : fièvres se manifestant tous les quatre jours.
2. *Après à* : en train de.
3. *Un cheval de service* : cheval propre au service de la guerre.
4. *Raisonnable* : convenable.

85 ARGANTE. Vingt pistoles et soixante, ce serait quatre-vingts.

SCAPIN. Justement.

ARGANTE. C'est beaucoup ; mais soit, je consens à cela.

90 SCAPIN. « Il me faut aussi un cheval pour monter mon valet, qui coûtera bien trente pistoles. »

ARGANTE. Comment, diantre ! Qu'il se promène, il n'aura rien du tout !

SCAPIN. Monsieur !

95 ARGANTE. Non : c'est un impertinent.

SCAPIN. Voulez-vous que son valet aille à pied ?

ARGANTE. Qu'il aille comme il lui plaira, et le maître aussi !

SCAPIN. Mon Dieu, Monsieur, ne vous arrêtez point
100 à peu de chose. N'allez point plaider, je vous prie, et donnez tout pour vous sauver des mains de la justice.

ARGANTE. Hé bien ! soit, je me résous à donner encore ces trente pistoles.

SCAPIN. « Il me faut encore, a-t-il dit, un mulet pour
105 porter... »

ARGANTE. Oh ! qu'il aille au diable avec son mulet ! C'en est trop, et nous irons devant les juges.

SCAPIN. De grâce, Monsieur...

ARGANTE. Non, je n'en ferai rien.

110 SCAPIN. Monsieur, un petit mulet.

ARGANTE. Je ne lui donnerais seulement pas un âne.

SCAPIN. Considérez...

ARGANTE. Non, j'aime mieux plaider.

SCAPIN. Eh ! Monsieur, de quoi parlez-vous là, et à

71

115 quoi vous résolvez-vous ? Jetez les yeux sur les détours[1]
de la justice. Voyez combien d'appels[2] et de degrés de
juridiction, combien de procédures embarrassantes,
combien d'animaux ravissants[3] par les griffes desquels il
vous faudra passer : sergents[4], procureurs[5], avocats,
120 greffiers[6], substituts[7], rapporteurs[8], juges et leurs clercs[9].
Il n'y a pas un de tous ces gens-là qui, pour la moindre
chose, ne soit capable de donner un soufflet au meilleur
droit du monde[10]. Un sergent baillera[11] de faux exploits[12],
sur quoi vous serez condamné sans que vous le sachiez.
125 Votre procureur s'entendra avec votre partie[13] et vous
vendra à beaux deniers comptants. Votre avocat, gagné
de même, ne se trouvera point lorsqu'on plaidera votre
cause, ou dira des raisons qui ne feront que battre la
campagne[14] et n'iront point au fait. Le greffier délivrera
130 par contumace[15] des sentences et arrêts contre vous. Le
clerc du rapporteur soustraira des pièces[16], ou le
rapporteur même ne dira pas ce qu'il a vu. Et quand,

---

1. *Détours* : complications.
2. *Appels* : recours à un autre tribunal de degré supérieur pour tenter de faire annuler le jugement du premier.
3. *Ravissants* : rapaces, avides, voleurs.
4. *Sergents* : aujourd'hui, huissiers.
5. *Procureurs* : représentants de l'une des parties.
6. *Greffiers* : officiers publics chargés de rédiger et de conserver les rapports des jugements.
7. *Substituts* : suppléants de magistrats.
8. *Rapporteurs* : chargés de faire le compte rendu du procès.
9. *Clercs* : secrétaires des gens de justice.
10. *Donner ... du monde* : commettre des injustices.
11. *Baillera* : donnera.
12. *Exploits* : convocations en justice.
13. *Votre partie* : la partie adverse.
14. *Battre la campagne* : s'éloigner du sujet.
15. *Par contumace* : en votre absence.
16. *Des pièces* : des éléments importants du dossier.

par les plus grandes précautions du monde, vous aurez
paré tout cela, vous serez ébahi que vos juges auront
135 été sollicités contre vous[1] ou par des gens dévots[2] ou
par des femmes qu'ils aimeront. Eh ! Monsieur, si vous
le pouvez, sauvez-vous de cet enfer-là ! C'est être damné
dès ce monde, que d'avoir à plaider, et la seule pensée
d'un procès serait capable de me faire fuir jusqu'aux
140 Indes.

ARGANTE.   À combien est-ce qu'il fait monter le mulet ?

SCAPIN.   Monsieur, pour le mulet, pour son cheval et
celui de son homme, pour le harnais et les pistolets, et
pour payer quelque petite chose qu'il doit à son hôtesse,
145 il demande en tout deux cents pistoles.

ARGANTE.   Deux cents pistoles ?

SCAPIN.   Oui.

ARGANTE, *se promenant en colère le long du théâtre.*   Allons,
allons, nous plaiderons.

150 SCAPIN.   Faites réflexion...

ARGANTE.   Je plaiderai...

SCAPIN.   Ne vous allez point jeter...

ARGANTE.   Je veux plaider.

SCAPIN.   Mais, pour plaider, il vous faudra de l'argent.
155 Il vous en faudra pour l'exploit[3]. Il vous en faudra pour
le contrôle[4]. Il vous en faudra pour la procuration[5],
pour la présentation[6], conseils, productions[1] et journées

---

1. *Sollicités contre vous* : objet de démarches dirigées contre vous.
2. *Dévots* : attachés aux valeurs religieuses.
3. *L'exploit* : la convocation.
4. *Contrôle* : enregistrement, inscription sur un registre officiel.
5. *Procuration* : prise en charge des intérêts du client par le procureur.
6. *Présentation* : acte par lequel le procureur déclare se présenter pour son client.

Marcel Maréchal (Scapin), Jean-Jacques Lagarde (Argante).
Mise en scène de Marcel Maréchal.
Théâtre national de Marseille, la Criée, 1981.

du procureur. Il vous en faudra pour les consultations
160 et plaidoiries des avocats, pour le droit de retirer le sac[2]
et pour les grosses d'écritures[3]. Il vous en faudra pour
le rapport des substituts, pour les épices de conclusion[4],
pour l'enregistrement du greffier, façon d'appointement[5],
sentences et arrêts, contrôles, signatures et expéditions[6]
165 de leurs clercs, sans parler de tous les présents qu'il
vous faudra faire. Donnez cet argent-là à cet homme-
ci, vous voilà hors d'affaire.

ARGANTE. Comment ! deux cents pistoles !

SCAPIN. Oui, vous y gagnerez. J'ai fait un petit calcul
170 en moi-même de tous les frais de la justice, et j'ai
trouvé qu'en donnant deux cents pistoles à votre homme
vous en aurez de reste pour le moins cinquante, sans
compter les soins, les pas et les chagrins que vous vous
épargnerez. Quand il n'y aurait à essuyer que les sottises
175 que disent devant tout le monde de méchants plaisants
d'avocats, j'aimerais mieux encore donner trois cents
pistoles que de plaider.

ARGANTE. Je me moque de cela, et je défie les avocats
de rien dire de moi.

180 SCAPIN. Vous ferez ce qu'il vous plaira, mais, si j'étais
que de vous, je fuirais les procès.

ARGANTE. Je ne donnerai point deux cents pistoles.

SCAPIN. Voici l'homme dont il s'agit.

---

1. *Productions :* interventions au tribunal devant lequel on produit les
pièces du dossier.
2. *Retirer le sac :* à l'issue du procès, on peut, moyennant finances,
retirer les pièces enfermées dans des sacs.
3. *Grosses d'écritures :* copies des actes.
4. *Épices de conclusion :* à l'issue d'un procès, on offrait de l'argent
au juge ou au rapporteur.
5. *Façon d'appointement :* rédactions des décisions préparatoires.
6. *Expéditions :* copies légales d'un jugement.

SCÈNE 6. SYLVESTRE, ARGANTE, SCAPIN.

SYLVESTRE, *déguisé en spadassin*[1]. Scapin, fais-moi connaître un peu cet Argante qui est père d'Octave.

SCAPIN.   Pourquoi, Monsieur ?

5   SYLVESTRE.   Je viens d'apprendre qu'il veut me mettre en procès, et faire rompre par justice le mariage de ma sœur.

SCAPIN.   Je ne sais pas s'il a cette pensée ; mais il ne veut point consentir aux deux cents pistoles que vous voulez, et il dit que c'est trop.

10   SYLVESTRE.   Par la mort ! par la tête ! par le ventre ! si je le trouve, je le veux échiner, dussé-je être roué[2] tout vif.

(Argante, pour n'être point vu, se tient en tremblant couvert de Scapin.)

15   SCAPIN.   Monsieur, ce père d'Octave a du cœur, et peut-être ne vous craindra-t-il point.

SYLVESTRE.   Lui ? lui ? Par le sang ! par la tête ! s'il était là, je lui donnerais tout à l'heure de l'épée dans le ventre. *(Apercevant Argante.)* Qui est cet homme-là ?

20   SCAPIN.   Ce n'est pas lui, Monsieur, ce n'est pas lui.

SYLVESTRE.   N'est-ce point quelqu'un de ses amis ?

SCAPIN.   Non, Monsieur, au contraire, c'est son ennemi capital.

SYLVESTRE.   Son ennemi capital ?

---

1. *Spadassin* : sorte de mercenaire prêt à tout. Traditionnellement, dans la commedia dell'arte, le spadassin a de grandes moustaches, porte sur son chapeau un large panache, et, autour de sa ceinture, une longue épée.
2. *Roué* : condamné au supplice de la roue.

25 SCAPIN. Oui.

SYLVESTRE. Ah ! parbleu ! j'en suis ravi. *(À Argante.)* Vous êtes ennemi, Monsieur, de ce faquin d'Argante, eh ?

SCAPIN. Oui, oui, je vous en réponds.

30 SYLVESTRE, *secouant la main d'Argante.* Touchez là. Touchez. Je vous donne ma parole, et vous jure sur mon honneur, par l'épée que je porte, par tous les serments que je saurais faire, qu'avant la fin du jour je vous déferai de ce maraud fieffé[1], de ce faquin[2] d'Argante.

35 Reposez-vous sur moi.

SCAPIN. Monsieur, les violences en ce pays-ci ne sont guère souffertes.

SYLVESTRE. Je me moque de tout et je n'ai rien à perdre.

40 SCAPIN. Il se tiendra sur ses gardes assurément ; et il a des parents, des amis et des domestiques dont il se fera un secours contre votre ressentiment.

SYLVESTRE. C'est ce que je demande, morbleu ! c'est ce que je demande. *(Il met l'épée à la main, et pousse de*
45 *tous les côtés, comme s'il y avait plusieurs personnes devant lui.)* Ah ! tête ! ah ! ventre ! que ne le trouvé-je à cette heure avec tout son secours ! Que ne paraît-il à mes yeux au milieu de trente personnes ! Que ne les vois-je fondre sur moi les armes à la main ! Comment,
50 marauds ! vous avez la hardiesse de vous attaquer à moi ! Allons, morbleu, tue ! Point de quartier. *(Poussant de tous les côtés, comme s'il avait plusieurs personnes à combattre.)* Donnons. Ferme. Poussons. Bon pied, bon œil. Ah ! coquins ! ah ! canaille ! vous en voulez par

---

1. *Maraud fieffé :* filou au plus haut degré.
2. *Faquin :* vaurien.

55 là, je vous en ferai tâter votre soûl. Soutenez, marauds, soutenez. Allons. À cette botte. À cette autre. À celle-ci. À celle-là. *(Se tournant du côté d'Argante et de Scapin.)* Comment ! vous reculez ? Pied ferme, morbleu ! pied ferme !

60 SCAPIN.   Eh ! eh ! eh ! Monsieur, nous n'en sommes pas[1].

SYLVESTRE.   Voilà qui vous apprendra à vous oser jouer à moi[2]. *(Il s'éloigne.)*

SCAPIN.   Hé bien ! vous voyez combien de personnes 65 tuées pour deux cents pistoles. Oh sus ! je vous souhaite une bonne fortune[3].

ARGANTE, *tout tremblant*.   Scapin !

SCAPIN.   Plaît-il ?

ARGANTE.   Je me résous à donner les deux cents 70 pistoles.

SCAPIN.   J'en suis ravi pour l'amour de vous.

ARGANTE.   Allons le trouver, je les ai sur moi.

SCAPIN.   Vous n'avez qu'à me les donner. Il ne faut pas, pour votre honneur, que vous paraissiez là, après 75 avoir passé ici pour autre que ce que vous êtes ; et, de plus, je craindrais qu'en vous faisant connaître, il n'allât s'aviser de vous en demander davantage.

ARGANTE.   Oui ; mais j'aurais été bien aise de voir comme je donne mon argent.

80 SCAPIN.   Est-ce que vous vous défiez de moi ?

ARGANTE.   Non pas, mais...

---

1. *Nous n'en sommes pas :* nous ne sommes pas vos ennemis.
2. *À vous oser jouer à moi :* à oser vous attaquer à moi.
3. *Fortune :* chance.

SCAPIN. Parbleu, Monsieur, je suis un fourbe ou je suis un honnête homme ; c'est l'un des deux. Est-ce que je voudrais vous tromper, et que dans tout ceci
85 j'ai d'autre intérêt que le vôtre et celui de mon maître, à qui vous voulez vous allier ? Si je vous suis suspect, je ne me mêle plus de rien, et vous n'avez qu'à chercher dès cette heure qui accommodera vos affaires.

ARGANTE. Tiens, donc.

90 SCAPIN. Non, Monsieur, ne me confiez point votre argent. Je serai bien aise que vous vous serviez de quelque autre.

ARGANTE. Mon Dieu, tiens.

SCAPIN. Non, vous dis-je, ne vous fiez point à moi.
95 Que sait-on si je ne veux point attraper votre argent ?

ARGANTE. Tiens, te dis-je, ne me fais point contester[1] davantage. Mais songe à bien prendre tes sûretés avec lui.

SCAPIN. Laissez-moi faire, il n'a pas affaire à un sot.

100 ARGANTE. Je vais t'attendre chez moi.

SCAPIN. Je ne manquerai pas d'y aller. *(Seul.)* Et un. Je n'ai qu'à chercher l'autre. Ah ! ma foi, le voici. Il semble que le Ciel, l'un après l'autre, les amène dans mes filets.

---

1. *Contester :* discuter.

Acte II, scènes 5 et 6

LA PREMIÈRE FOURBERIE ET LA FARCE

1. Montrez que les scènes 5 et 6 sont très liées : comment s'achève la scène 5 ? la scène 6 ? À quoi sert la scène 5 ? La scène 6 serait-elle possible sans l'existence de la scène 5 ?
2. Quels sont les différents moyens employés par Scapin pour convaincre Argante ? Lequel réussit ? Pourquoi ? Scapin l'avait-il prévu ? Justifiez votre réponse.
3. On dit que la farce, c'est l'art de la caricature, du grossissement des traits. Montrez, en citant le texte, que ces deux scènes sont de bons exemples pour cette définition.
4. Imaginez le costume de Sylvestre, ses mimiques, ainsi que celles d'Argante caché derrière Scapin.

LES MŒURS DU XVIIᵉ SIÈCLE

5. Qu'apprend-on sur l'armée et le départ des troupes ? Qu'est-ce qu'un spadassin ?
6. Quelles sont les caractéristiques de la justice royale, d'après Molière ? Montrez, texte à l'appui, le plaisir que prend Molière à décrire la justice de son temps.

LES PERSONNAGES

7. Argante est-il avare ou raisonnable lorsqu'il refuse de payer le « mulet » du spadassin (l. 106, sc. 5) ? Justifiez votre point de vue.
8. Décrivez l'attitude d'Argante lorsque le spadassin paraît.
9. Montrez, en citant le texte, comment Scapin joue avec Argante, sa victime, et combien il aime faire durer le plaisir.
10. Pourquoi Scapin insiste-t-il tant sur les détails des procès ? Comment, d'après vous, peut-il si bien les connaître ?
11. Pourquoi Scapin rapporte-t-il les paroles du spadassin au style direct dans la scène 5 ?
12. Quelle représentation du spadassin Sylvestre nous donne-t-il ? Montrez, en citant le texte, que son jeu est très caricatural.

SCÈNE 7. GÉRONTE, SCAPIN.

SCAPIN, *feignant de ne pas voir Géronte.* Ô Ciel ! ô disgrâce[1] imprévue ! ô misérable père ! Pauvre Géronte, que feras-tu ?

GÉRONTE, *à part.* Que dit-il là de moi, avec ce visage
5 affligé ?

SCAPIN, *même jeu.* N'y a-t-il personne qui puisse me dire où est le seigneur Géronte ?

GÉRONTE. Qu'y a-t-il, Scapin ?

SCAPIN, *courant sur le théâtre, sans vouloir entendre ni voir*
10 *Géronte.* Où pourrai-je le rencontrer pour lui dire cette infortune ?

GÉRONTE, *courant après Scapin.* Qu'est-ce que c'est donc ?

SCAPIN, *même jeu.* En vain je cours de tous côtés pour
15 le pouvoir trouver.

GÉRONTE. Me voici.

SCAPIN, *même jeu.* Il faut qu'il soit caché en quelque endroit qu'on ne puisse point deviner.

GÉRONTE, *arrêtant Scapin.* Holà ! es-tu aveugle, que tu
20 ne me vois pas ?

SCAPIN. Ah ! Monsieur, il n'y a pas moyen de vous rencontrer.

GÉRONTE. Il y a une heure que je suis devant toi. Qu'est-ce que c'est donc qu'il y a ?

25 SCAPIN. Monsieur...

GÉRONTE. Quoi ?

---

1. *Disgrâce :* malheur.

81

SCAPIN.   Monsieur votre fils...

GÉRONTE.   Hé bien ! mon fils...

SCAPIN.   Est tombé dans une disgrâce la plus étrange
30   du monde.

GÉRONTE.   Et quelle ?

SCAPIN.   Je l'ai trouvé tantôt, tout triste de je ne sais
quoi que vous lui avez dit, où vous m'avez mêlé assez
mal à propos, et, cherchant à divertir[1] cette tristesse,
35   nous nous sommes allés promener sur le port. Là, entre
autres plusieurs choses, nous avons arrêté nos yeux sur
une galère turque assez bien équipée. Un jeune Turc
de bonne mine nous a invités d'y entrer et nous a
présenté la main. Nous y avons passé, il nous a fait
40   mille civilités, nous a donné la collation[2], où nous avons
mangé des fruits les plus excellents qui se puissent voir,
et bu du vin que nous avons trouvé le meilleur du
monde.

GÉRONTE.   Qu'y a-t-il de si affligeant à tout cela ?

45   SCAPIN.   Attendez, Monsieur, nous y voici. Pendant
que nous mangions, il a fait mettre la galère en mer,
et, se voyant éloigné du port, il m'a fait mettre dans
un esquif[3], et m'envoie vous dire que, si vous ne lui
envoyez par moi tout à l'heure cinq cents écus, il va
50   nous emmener votre fils en Alger.

GÉRONTE.   Comment ! diantre, cinq cents écus !

SCAPIN.   Oui, Monsieur ; et, de plus, il ne m'a donné
pour cela que deux heures.

---

1. *Divertir :* écarter.
2. *Collation :* repas léger.
3. *Esquif :* petit bateau léger.

GÉRONTE.   Ah ! le pendard de Turc ! m'assassiner de
55 la façon[1].

SCAPIN.   C'est à vous, Monsieur, d'aviser promptement
aux moyens de sauver des fers un fils que vous aimez
avec tant de tendresse.

GÉRONTE.   Que diable allait-il faire dans cette galère ?

60 SCAPIN.   Il ne songeait pas à ce qui est arrivé.

GÉRONTE.   Va-t'en, Scapin, va-t'en dire à ce Turc que
je vais envoyer la justice après lui.

SCAPIN.   La justice en pleine mer ! Vous moquez-vous
des gens ?

65 GÉRONTE.   Que diable allait-il faire dans cette galère ?

SCAPIN.   Une méchante destinée conduit quelquefois
les personnes.

GÉRONTE.   Il faut, Scapin, il faut que tu fasses ici
l'action d'un serviteur fidèle.

70 SCAPIN.   Quoi, Monsieur ?

GÉRONTE.   Que tu ailles dire à ce Turc qu'il me renvoie
mon fils, et que tu te mettes à sa place jusqu'à ce que
j'aie amassé la somme qu'il demande.

SCAPIN.   Eh ! Monsieur, songez-vous à ce que vous
75 dites ? et vous figurez-vous que ce Turc ait si peu de
sens que d'aller recevoir un misérable comme moi à la
place de votre fils ?

GÉRONTE.   Que diable allait-il faire dans cette galère ?

SCAPIN.   Il ne devinait pas ce malheur. Songez, Mon-
80 sieur, qu'il ne m'a donné que deux heures.

GÉRONTE.   Tu dis qu'il demande...

SCAPIN.   Cinq cents écus.

---

1. *De la façon* : de cette façon.

GÉRONTE.   Cinq cents écus ! N'a-t-il point de conscience ?

85 SCAPIN.   Vraiment oui, de la conscience à un Turc !

GÉRONTE.   Sait-il bien ce que c'est que cinq cents écus ?

SCAPIN.   Oui, Monsieur, il sait que c'est mille cinq cents livres.

90 GÉRONTE.   Croit-il, le traître, que mille cinq cents livres se trouvent dans le pas d'un cheval ?

SCAPIN.   Ce sont des gens qui n'entendent point de raison.

GÉRONTE.   Mais que diable allait-il faire à cette galère ?

95 SCAPIN.   Il est vrai ; mais quoi ! on ne prévoyait pas les choses. De grâce, Monsieur, dépêchez.

GÉRONTE.   Tiens, voilà la clef de mon armoire.

SCAPIN.   Bon.

GÉRONTE.   Tu l'ouvriras.

100 SCAPIN.   Fort bien.

GÉRONTE.   Tu trouveras une grosse clef du côté gauche, qui est celle de mon grenier.

SCAPIN.   Oui.

GÉRONTE.   Tu iras prendre toutes les hardes[1] qui sont
105 dans cette grande manne[2], et tu les vendras aux fripiers[3] pour aller racheter mon fils.

SCAPIN, *en lui rendant la clef*.   Eh ! Monsieur, rêvez-vous ? Je n'aurais pas cent francs de tout ce que vous dites ; et, de plus, vous savez le peu de temps qu'on
110 m'a donné.

---

1. *Hardes* : vieux habits.
2. *Manne* : panier long et profond.
3. *Fripiers* : marchands de vêtements d'occasion.

GÉRONTE.   Mais que diable allait-il faire dans cette galère ?

SCAPIN.   Oh ! que de paroles perdues ! Laissez là cette galère, et songez que le temps presse, et que vous
115 courez risque de perdre votre fils. Hélas ! mon pauvre maître, peut-être que je ne te verrai de ma vie, et qu'à l'heure que je parle, on t'emmène esclave en Alger ! Mais le Ciel me sera témoin que j'ai fait pour toi tout ce que j'ai pu, et que si tu manques à[1] être racheté, il
120 n'en faut accuser que le peu d'amitié d'un père.

GÉRONTE.   Attends, Scapin, je m'en vais quérir cette somme.

SCAPIN.   Dépêchez-vous donc vite, Monsieur, je tremble que l'heure ne sonne.

125 GÉRONTE.   N'est-ce pas quatre cents écus que tu dis ?

SCAPIN.   Non, cinq cents écus.

GÉRONTE.   Cinq cents écus ?

SCAPIN.   Oui.

GÉRONTE.   Que diable allait-il faire à cette galère ?

130 SCAPIN.   Vous avez raison. Mais hâtez-vous.

GÉRONTE.   N'y avait-il point d'autre promenade ?

SCAPIN.   Cela est vrai. Mais faites promptement.

GÉRONTE.   Ah ! maudite galère !

SCAPIN, *à part.*   Cette galère lui tient au cœur.

135 GÉRONTE.   Tiens, Scapin, je ne me souvenais pas que je viens justement de recevoir cette somme en or, et je ne croyais pas qu'elle dût m'être sitôt ravie[2]. (*Il lui présente sa bourse, qu'il ne laisse pourtant pas aller, et, dans*

---

1. *Si tu manques à :* si tu ne peux pas.
2. *Ravie :* soustraite.

Robert Hirsch (Scapin),
Michel Aumont (Géronte).
Comédie-Française, 1956.

ses transports, il fait aller son bras, de côté et d'autre, et
140 *Scapin le sien pour avoir la bourse.)* Tiens ! Va-t'en racheter
mon fils.

SCAPIN, *tendant la main.*   Oui, Monsieur.

GÉRONTE, *retenant la bourse qu'il fait semblant de vouloir
donner à Scapin.* Mais dis à ce Turc que c'est un
145 scélérat.

SCAPIN, *tendant toujours la main.*   Oui.

GÉRONTE, *même jeu.*   Un infâme.

SCAPIN.   Oui.

GÉRONTE, *même jeu.*   Un homme sans foi, un voleur.

150 SCAPIN.   Laissez-moi faire.

GÉRONTE, *même jeu.*   Qu'il me tire cinq cents écus
contre toute sorte de droit.

SCAPIN.   Oui.

GÉRONTE, *même jeu.*   Que je ne les lui donne ni à la
155 mort ni à la vie.

SCAPIN.   Fort bien.

GÉRONTE.   Et que, si jamais je l'attrape, je saurai me
venger de lui.

SCAPIN.   Oui.

160 GÉRONTE, *remettant sa bourse dans sa poche et s'en
allant.* Va, va vite requérir[1] mon fils.

SCAPIN, *allant après lui.*   Holà ! Monsieur.

GÉRONTE.   Quoi ?

SCAPIN.   Où est donc cet argent ?

165 GÉRONTE.   Ne te l'ai-je pas donné ?

---

1. *Requérir :* rechercher.

SCAPIN.　Non, vraiment, vous l'avez remis dans votre poche.

GÉRONTE.　Ah ! c'est la douleur qui me trouble l'esprit.

SCAPIN.　Je le vois bien.

170 GÉRONTE.　Que diable allait-il faire dans cette galère ? Ah ! maudite galère ! Traître de Turc à tous les diables !

SCAPIN, *seul*.　Il ne peut digérer les cinq cents écus que je lui arrache ; mais il n'est pas quitte envers moi, et je veux qu'il me paie en une autre monnaie l'imposture 175 qu'il m'a faite auprès de son fils.

Acte II, scène 7

LA DEUXIÈME FOURBERIE

1. En quoi consiste cette deuxième fourberie ?
2. Scapin entreprend-il Géronte de la même façon qu'Argante ? Précisez votre réponse en citant le texte.
3. Énumérez toutes les solutions avancées par Géronte pour ne pas donner les cinq cents écus à Scapin, et mettez ainsi en évidence la progression de la scène.

LES PERSONNAGES

4. Imaginez le jeu de scène de Scapin au début de la scène. Quel est son intérêt ?
5. Prévoyant les résistances de Géronte, Scapin a préparé des arguments de poids. Précisez ces arguments et montrez que Géronte, malgré son avarice, ne pourra pas les parer.
6. Montrez que Scapin sait exploiter les moments de désarroi de Géronte. Citez des exemples précis.
7. Quels sont les deux sentiments qui s'opposent chez Géronte. Citez le texte à l'appui de vos réponses.
8. Commentez la réplique : « Ah ! c'est la douleur qui me trouble l'esprit » (l. 168).
9. Relevez quelques expressions ou jeux de scène montrant l'emprise de l'avarice sur l'esprit de Géronte.
10. Imaginez sur quel ton Géronte prononce les différents « Qu'allait-il faire sur cette galère ? ». À votre avis, Géronte répète-t-il toujours cette phrase sur le même ton ? Justifiez votre réponse.

LE COMIQUE DE LA FARCE

11. Comment Molière fait-il rire son public ? Montrez, texte à l'appui, que certains procédés comiques se répètent.
12. Relevez les phrases où il est question des Turcs. Comment sont-ils représentés ? Ont-ils aussi mauvaise réputation que les Égyptiens ?

SCÈNE 8. OCTAVE, LÉANDRE, SCAPIN.

OCTAVE. Hé bien ! Scapin, as-tu réussi pour moi dans ton entreprise ?

LÉANDRE. As-tu fait quelque chose pour tirer mon amour de la peine où il est ?

5 SCAPIN, *à Octave*. Voilà deux cents pistoles que j'ai tirées de votre père.

OCTAVE. Ah ! que tu me donnes de joie !

SCAPIN, *à Léandre*. Pour vous je n'ai pu faire rien.

LÉANDRE, *veut s'en aller*. Il faut donc que j'aille mourir ;
10 et je n'ai que faire de vivre, si Zerbinette m'est ôtée.

SCAPIN. Holà ! holà ! tout doucement. Comme diantre vous allez vite !

LÉANDRE, *se retourne*. Que veux-tu que je devienne ?

SCAPIN. Allez, j'ai votre affaire ici.

15 LÉANDRE, *revient*. Ah ! tu me redonnes la vie.

SCAPIN. Mais à condition que vous me permettrez, à moi, une petite vengeance contre votre père pour le tour qu'il m'a fait.

LÉANDRE. Tout ce que tu voudras.

20 SCAPIN. Vous me le promettez devant témoin ?

LÉANDRE. Oui.

SCAPIN. Tenez, voilà cinq cents écus.

LÉANDRE. Allons-en promptement acheter celle que j'adore.

Acte II, scène 8

UNE CONCLUSION

1. Pourquoi Scapin annonce-t-il d'abord une fausse nouvelle à Léandre ?

2. En quoi peut-on parler de marchandage entre Scapin et Léandre dans cette scène ?

3. Quel est l'intérêt dramatique de cette scène ?

QUESTIONS SUR L'ENSEMBLE DE L'ACTE II

1. Cet acte a-t-il fait avancer l'action ? Justifiez votre réponse.

2. Tous les objectifs que Scapin s'était fixés sont-ils réalisés ? Répondez pour chacun d'entre eux.

3. Le sort des amoureux est-il réglé ? Comment ?

4. Peut-on, à la lumière des événements de la fin de l'acte II, imaginer ce que contiendra le dernier acte ? Justifiez votre réponse.

5. Citez l'ensemble des passages qui vous ont fait rire dans l'acte II et classez-les selon le procédé comique utilisé : comique de situation, comique des jeux de scène, comique des gestes et des mimiques, comique de mots.

6. Aux dépens de quels personnages rit-on dans cet acte ?

Personnage de la commedia dell'arte.
Gravure de Jacques Callot (1592-1635).
Paris, bibliothèque des Arts décoratifs.

Acte III

SCÈNE PREMIÈRE. ZERBINETTE, HYACINTE, SCAPIN, SYLVESTRE.

SYLVESTRE.   Oui, vos amants[1] ont arrêté entre eux[2] que vous fussiez ensemble, et nous nous acquittons de l'ordre qu'ils nous ont donné.

HYACINTE, *à Zerbinette.*   Un tel ordre n'a rien qui ne
5 me soit fort agréable. Je reçois avec joie une compagne de la sorte, et il ne tiendra pas à moi que l'amitié qui est entre les personnes que nous aimons ne se répande entre nous deux.

ZERBINETTE.   J'accepte la proposition, et ne suis point
10 personne à reculer lorsqu'on m'attaque d'amitié[3].

SCAPIN.   Et lorsque c'est d'amour qu'on vous attaque ?

ZERBINETTE.   Pour l'amour, c'est une autre chose : on y court un peu plus de risque, et je n'y suis pas si hardie.

15 SCAPIN.   Vous l'êtes, que je crois, contre mon maître maintenant ; et ce qu'il vient de faire pour vous doit vous donner du cœur pour répondre comme il faut à sa passion.

ZERBINETTE.   Je ne m'y fie encore que de la bonne
20 sorte[4], et ce n'est pas assez pour m'assurer[5] entièrement,

---

1. *Amants :* ceux qui vous aiment.
2. *Ont arrêté entre eux :* ont décidé ensemble.
3. *On m'attaque d'amitié :* on me montre son amitié.
4. *De la bonne sorte :* d'une façon honnête et morale.
5. *M'assurer :* me rassurer.

que ce qu'il vient de faire[1]. J'ai l'humeur enjouée, et
sans cesse je ris ; mais, tout en riant, je suis sérieuse
sur de certains chapitres ; et ton maître s'abusera[2] s'il
croit qu'il lui suffise de m'avoir achetée pour me voir
25 toute à lui. Il doit lui en coûter autre chose que de
l'argent ; et, pour répondre à son amour de la manière
qu'il souhaite, il me faut un don de sa foi qui soit
assaisonné de certaines cérémonies qu'on trouve nécessaires.

30 SCAPIN.   C'est là aussi comme il l'entend. Il ne prétend
à vous qu'en tout bien et en tout honneur ; et je
n'aurais pas été homme à me mêler de cette affaire,
s'il avait une autre pensée.

ZERBINETTE.   C'est ce que je veux croire, puisque vous
35 me le dites ; mais du côté du père, j'y prévois des
empêchements.

SCAPIN.   Nous trouverons moyen d'accommoder les
choses.

HYACINTE, *à Zerbinette.*   La ressemblance de nos destins
40 doit contribuer encore à faire naître notre amitié ; et
nous nous voyons toutes deux dans les mêmes alarmes,
toutes deux exposées à la même infortune.

ZERBINETTE.   Vous avez cet avantage, au moins, que
vous savez de qui vous êtes née, et que l'appui de vos
45 parents, que vous pouvez faire connaître, est capable
d'ajuster[3] tout, pour assurer votre bonheur et faire
donner un consentement au mariage qu'on trouve fait.
Mais, pour moi, je ne rencontre aucun secours dans ce

---

1. *Que... faire :* que de me racheter aux bohémiens.
2. *S'abusera :* se trompera.
3. *Ajuster :* arranger.

que je puis être, et l'on me voit dans un état qui
50 n'adoucira pas les volontés d'un père qui ne regarde
que le bien[1].

HYACINTE.   Mais aussi avez-vous cet avantage que l'on
ne tente point par un autre parti celui que vous aimez.

ZERBINETTE.   Le changement du cœur d'un amant n'est
55 pas ce qu'on peut le plus craindre. On se peut
naturellement croire assez de mérite pour garder sa
conquête ; et ce que je vois de plus redoutable dans
ces sortes d'affaires, c'est la puissance paternelle, auprès
de qui tout le mérite ne sert de rien.

60 HYACINTE.   Hélas ! pourquoi faut-il que de justes
inclinations se trouvent traversées[2] ? La douce chose
que d'aimer, lorsque l'on ne voit point d'obstacles à
ces aimables chaînes dont deux cœurs se lient ensemble !

SCAPIN.   Vous vous moquez. La tranquillité en amour
65 est un calme désagréable. Un bonheur tout uni nous
devient ennuyeux ; il faut du haut et du bas dans la
vie, et les difficultés qui se mêlent aux choses réveillent
les ardeurs, augmentent les plaisirs.

ZERBINETTE.   Mon Dieu, Scapin, fais-nous un peu ce
70 récit, qu'on m'a dit qui est si plaisant, du stratagème
dont tu t'es avisé pour tirer de l'argent de ton vieillard
avare. Tu sais qu'on ne perd point sa peine lorsqu'on
me fait un conte, et que je le paie assez bien par la
joie qu'on m'y voit prendre.

75 SCAPIN.   Voilà Sylvestre qui s'en acquittera aussi bien
que moi. J'ai dans la tête certaine petite vengeance dont
je vais goûter le plaisir.

---

1. *Le bien :* la fortune.
2. *Traversées :* empêchées, gênées.

SYLVESTRE. Pourquoi, de gaieté de cœur, veux-tu chercher à t'attirer de méchantes affaires ?

80 SCAPIN. Je me plais à tenter des entreprises hasardeuses.

SYLVESTRE. Je te l'ai déjà dit, tu quitterais le dessein
que tu as, si tu m'en voulais croire.

SCAPIN. Oui ; mais c'est moi que j'en croirai.

SYLVESTRE. À quoi diable te vas-tu amuser ?

85 SCAPIN. De quoi diable te mets-tu en peine ?

SYLVESTRE. C'est que je vois que sans nécessité tu vas
courir risque de t'attirer une venue[1] de coups de bâton.

SCAPIN. Hé bien ! c'est au dépens de mon dos, et
non pas du tien.

90 SYLVESTRE. Il est vrai que tu es maître de tes épaules,
et tu en disposeras comme il te plaira.

SCAPIN. Ces sortes de périls ne m'ont jamais arrêté,
et je hais ces cœurs pusillanimes[2] qui, pour trop prévoir
les suites des choses, n'osent rien entreprendre.

95 ZERBINETTE, *à Scapin.* Nous aurons besoin de tes soins.

SCAPIN. Allez, je vous irai bientôt rejoindre. Il ne sera
pas dit qu'impunément on m'ait mis en état de me
trahir moi-même et de découvrir les secrets qu'il était
bon qu'on ne sût pas.

---

1. *Une venue :* une moisson.
2. *Pusillanimes :* qui manquent d'audace.

Acte III, scène 1

L'ORGANISATION DE LA SCÈNE

1. Cette scène comporte deux parties. Retrouvez-les et donnez un titre à chacune d'elles.

2. Quelle est la réplique de Scapin qui sert de transition ?

3. L'action est-elle suspendue ou au contraire relancée dans cette scène ? Justifiez votre réponse.

LES PERSONNAGES

4. On a dit que Hyacinte et Zerbinette se ressemblaient beaucoup. Quelles sont cependant leurs différences ? Si vous étiez metteur en scène, comment mettriez-vous en valeur ces différences (costumes, gestes, tons, etc.) ?

5. Relevez les paroles les plus importantes que prononce Scapin. Justifiez votre choix.

6. Quels nouveaux traits de caractère Scapin révèle-t-il ici ?

7. Quelle motivation pousse Scapin à agir de nouveau, à la fin de la scène ?

8. Quelle conception Scapin a-t-il de la vie ? Partagez-vous son opinion ?

LE THÈME DE L'AMOUR

9. Que pensent de l'amour Hyacinte, Zerbinette et Scapin ? Citez les répliques de chacun à propos de l'amour et mettez en évidence (éventuellement à l'aide d'un tableau) les similitudes et les différences de leurs idées.

10. Quelle conception du mariage l'emporte dans cette scène ? Quel personnage en est le porte-parole ?

SCÈNE 2. GÉRONTE, SCAPIN.

GÉRONTE.   Hé bien ! Scapin, comment va l'affaire de mon fils ?

SCAPIN.   Votre fils, Monsieur, est en lieu de sûreté ; mais vous courez maintenant, vous, le péril le plus
5 grand du monde, et je voudrais pour beaucoup que vous fussiez dans votre logis.

GÉRONTE.   Comment donc ?

SCAPIN.   À l'heure que je vous parle, on vous cherche de toutes parts pour vous tuer.

10 GÉRONTE.   Moi ?

SCAPIN.   Oui.

GÉRONTE.   Et qui ?

SCAPIN.   Le frère de cette personne qu'Octave a épousée. Il croit que le dessein que vous avez de mettre votre
15 fille à la place que tient sa sœur est ce qui pousse le plus fort à faire rompre leur mariage, et, dans cette pensée, il a résolu hautement de décharger son désespoir sur vous, et de vous ôter la vie pour venger son honneur. Tous ses amis, gens d'épée comme lui, vous cherchent
20 de tous les côtés et demandent de vos nouvelles. J'ai vu même deçà et delà des soldats de sa compagnie qui interrogent ceux qu'ils trouvent, et occupent par pelotons toutes les avenues[1] de votre maison. De sorte que vous ne sauriez aller chez vous, vous ne sauriez faire un pas
25 ni à droite ni à gauche, que vous ne tombiez dans leurs mains.

GÉRONTE.   Que ferai-je, mon pauvre Scapin ?

---

1. *Avenues* : accès.

SCAPIN.   Je ne sais pas, Monsieur, et voici une étrange
affaire. Je tremble pour vous depuis les pieds jusqu'à
30 la tête, et... Attendez. *(Il se retourne, et fait semblant d'aller
voir au bout du théâtre s'il n'y a personne.)*

GÉRONTE, *en tremblant.*   Eh ?

SCAPIN, *en revenant.*   Non, non, non, ce n'est rien.

GÉRONTE.   Ne saurais-tu trouver quelque moyen pour
35 me tirer de peine ?

SCAPIN.   J'en imagine bien un ; mais je courrais risque,
moi, de me faire assommer.

GÉRONTE.   Eh ! Scapin, montre-toi serviteur zélé. Ne
m'abandonne pas, je te prie.

40 SCAPIN.   Je le veux bien. J'ai une tendresse pour vous
qui ne saurait souffrir que je vous laisse sans secours.

GÉRONTE.   Tu en seras récompensé, je t'assure ; et je
te promets cet habit-ci, quand je l'aurai un peu usé.

SCAPIN.   Attendez. Voici une affaire[1] que je me suis
45 trouvée fort à propos pour vous sauver. Il faut que
vous vous mettiez dans ce sac, et que...

GÉRONTE, *croyant voir quelqu'un.*   Ah !

SCAPIN.   Non, non, non, non, ce n'est personne. Il
faut, dis-je, que vous vous mettiez là-dedans, et que
50 vous vous gardiez de remuer en aucune façon. Je vous
chargerai sur mon dos comme un paquet de quelque
chose, et je vous porterai ainsi, au travers de vos
ennemis, jusque dans votre maison, où, quand nous
serons une fois, nous pourrons nous barricader et
55 envoyer quérir main-forte contre la violence.

GÉRONTE.   L'invention est bonne.

---

1. *Affaire :* il s'agit du sac.

SCAPIN. La meilleure du monde. Vous allez voir. (*À part.*) Tu me paieras l'imposture.

GÉRONTE. Eh ?

60 SCAPIN. Je dis que vos ennemis seront bien attrapés. Mettez-vous bien jusqu'au fond, et surtout prenez garde de ne vous point montrer et de ne branler[1] pas, quelque chose qui puisse arriver.

GÉRONTE. Laisse-moi faire. Je saurai me tenir...

65 SCAPIN. Cachez-vous, voici un spadassin qui vous cherche. (*En contrefaisant sa voix.*) « Quoi ! jé n'aurai pas l'abantage[2] dé tuer cé Géronte et quelqu'un par charité né m'enseignera pas où il est ? » (*À Géronte, avec sa voix ordinaire.*) Ne branlez pas. (*Reprenant son ton contrefait.*)
70 « Cadédis[3] ! jé lé trouberai, se cachât-il au centre de la terre. » (*À Géronte, avec son ton naturel.*) Ne vous montrez pas. (*Tout le langage gascon est supposé de celui qu'il contrefait, et le reste de lui.*) « Oh ! l'homme au sac. — Monsieur. — Jé té vaille un louis, et m'enseigne où
75 put être Géronte. — Vous cherchez le seigneur Géronte ? — Oui, mordi ! jé lé cherche. — Et pour quelle affaire, Monsieur ? — Pour quelle affaire ? — Oui. — Jé beux, cadédis ! lé faire mourir sous les coups dé vâton. — Oh ! Monsieur, les coups de bâton ne se donnent point
80 à des gens comme lui, et ce n'est pas un homme à être traité de la sorte. — Qui, cé fat de Géronte, cé maraud, cé vélître[4] ? — Le seigneur Géronte, Monsieur, n'est ni fat, ni maraud, ni bélître, et vous devriez, s'il vous plaît, parler d'autre façon. — Comment ! tu mé

---

1. *Branler :* remuer.
2. *Abantage :* imitation d'un dialecte gascon où les *b* et les *v* sont intervertis.
3. *Cadédis :* juron signifiant « tête de Dieu ».
4. *Vélître :* pour « bélître », homme de rien, fainéant.

85 traîtes, à moi, avec cette hauteur ? — Je défends, comme je dois, un homme d'honneur qu'on offense. — Est-ce que tu es des amis dé cé Géronte ? — Oui, Monsieur, j'en suis. — Ah ! cadédis ! tu es dé ses amis, à la vonne hure ! *(Il donne plusieurs coups de bâton sur le* 90 *sac.)* Tiens ! boilà cé qué jé té vaille pour lui. — Ah ! ah ! ah ! ah ! Monsieur. Ah ! ah ! Monsieur, tout beau ! Ah ! doucement, ah ! ah ! ah ! — Va, porte-lui cela dé ma part. Adiusias[1] ! » — Ah ! Diable soit le Gascon ! Ah ! *(en se plaignant et remuant le dos, comme s'il avait* 95 *reçu les coups de bâton).*

GÉRONTE, *mettant la tête hors du sac.* Ah ! Scapin, je n'en puis plus.

SCAPIN. Ah ! Monsieur, je suis tout moulu, et les épaules me font un mal épouvantable.

100 GÉRONTE. Comment ! c'est sur les miennes qu'il a frappé.

SCAPIN. Nenni, Monsieur, c'était sur mon dos qu'il frappait.

GÉRONTE. Que veux-tu dire ? J'ai bien senti les coups, 105 et les sens bien encore.

SCAPIN. Non, vous dis-je, ce n'était que le bout du bâton qui a été jusque vos épaules.

GÉRONTE. Tu devais donc te retirer un peu plus loin pour m'épargner...

110 SCAPIN, *lui remet la tête dans le sac.* Prenez garde, en voici un autre qui a la mine d'un étranger. *(Cet endroit est de même que celui du Gascon pour le changement de langage et le jeu de théâtre.)* « Parti[2], moi courir comme

---

1. *Adiusias :* adieu.
2. *Parti... :* dialecte créé par Molière où le *d* devient *t* ; le *v*, *f* ; le *b*, *p*, etc.

une Basque[1], et moi ne pouvre point troufair de tout
115 le jour sti tiable de Gironte. » *(À Géronte, avec sa voix
ordinaire.)* Cachez-vous bien. « Dites-moi un peu, fous,
Monsir l'homme, s'il ve plaît, fous savoir point où l'est
sti Gironte que moi cherchair ? — Non, Monsieur, je
ne sais point où est Géronte. — Dites-moi-le, fous,
120 frenchemente, moi li foulloir pas grande chose à lui.
L'est seulement pour le donnair une petite régal sur
le dos d'une douzaine de coups de bâtonne, et de trois
ou quatre petites coups d'épée au trafers de son poitrine.
— Je vous assure, Monsieur, que je ne sais pas où il
125 est. — Il me semble que j'y fois remuair quelque chose
dans sti sac. — Pardonnez-moi, Monsieur. — Li est
assurément quelque histoire là-tetans. — Point du tout,
Monsieur. — Moi l'avoir enfie de tonner ain coup
d'épée dans sti sac. — Ah ! Monsieur, gardez-vous-en
130 bien. — Montre-le-moi un peu, fous, ce que c'être là.
— Tout beau ! Monsieur. — Quement ? tout beau ?
— Vous n'avez que faire de vouloir voir ce que je
porte. — Et moi, je le foulloir foir, moi. — Vous ne
le verrez point. — Ah ! que de badinemente ! — Ce
135 sont hardes qui m'appartiennent. — Montre-moi fous,
te dis-je. — Je n'en ferai rien. — Toi ne faire rien ?
— Non. — Moi pailler de ste bâtonne dessus les
épaules de toi. — Je me moque de cela. — Ah ! toi
faire le trôle ! — *(Donnant des coups de bâton sur le sac*
140 *et criant comme s'il les recevait.)* — Ahi ! ahi ! ahi ! Ah !
Monsieur, ah ! ah ! ah ! — Jusqu'au refoir. L'être là
un petit leçon pour li apprendre à toi à parlair insolen-
temente. » — Ah ! Peste soit du baragouineux ! Ah !

---

1. *Courir comme un Basque :* expression signifiant « courir vite ».

« *Ah ! scélérat ! C'est ainsi que tu m'assassines !* »
Acte III, scène 2.
Gravure de Petite pour une édition du XIXe siècle
des *Fourberies de Scapin.*

GÉRONTE, *sortant la tête du sac.* Ah ! je suis roué[1].

145 SCAPIN. Ah ! je suis mort.

GÉRONTE. Pourquoi diantre faut-il qu'ils frappent sur mon dos ?

SCAPIN, *lui remettant la tête dans le sac.* Prenez garde, voici une demi-douzaine de soldats tout ensemble. *(Il* 150 *contrefait plusieurs personnes ensemble.)* « Allons, tâchons à trouver ce Géronte, cherchons partout. N'épargnons point nos pas. Courons toute la ville. N'oublions aucun lieu. Visitons tout. Furetons de tous les côtés. Par où irons-nous ? Tournons par là. Non, par ici. À gauche. 155 À droite. Nenni. Si fait. » *(À Géronte, avec sa voix ordinaire.)* Cachez-vous bien. « Ah ! camarades, voici son valet. Allons, coquin, il faut que tu nous enseignes où est ton maître. — Eh ! Messieurs, ne me maltraitez point. — Allons, dis-nous où il est. Parle. Hâte-toi. 160 Expédions. Dépêche vite. Tôt. — Eh ! Messieurs, doucement. *(Géronte met doucement la tête hors du sac et aperçoit la fourberie de Scapin.)* — Si tu ne nous fais trouver ton maître tout à l'heure, nous allons faire pleuvoir sur toi une ondée de coups de bâton. — 165 J'aime mieux souffrir toute chose que de vous découvrir mon maître. — Nous allons t'assommer. — Faites tout ce qu'il vous plaira. — Tu as envie d'être battu ? — Je ne trahirai point mon maître. — Ah ! tu en veux tâter ? Voilà... — Oh ! » *(Comme il est prêt de frapper,* 170 *Géronte sort du sac et Scapin s'enfuit.)*

GÉRONTE. Ah ! infâme ! Ah ! traître ! Ah ! scélérat ! C'est ainsi que tu m'assassines !

---

1. *Roué :* brisé par les coups.

Acte III, scène 2

LA TROISIÈME FOURBERIE

1. Montrez que Scapin a amélioré sa technique de la fourberie en comparant cette scène avec les scènes 5, 6 et 7 de l'acte II.

2. Pourquoi Scapin veut-il tirer vengeance de Géronte ?

3. Comment s'exprime le plaisir de Scapin tout au long de cette scène ? Précisez les gestes, les mimiques, le ton des répliques.

LES PERSONNAGES

4. À partir de quel moment Scapin en « fait-il trop » ? Pourquoi n'arrive-t-il pas à se dominer ?

5. Quels traits du caractère de Géronte se trouvent ici confirmés ? Le spectateur plaint-il le personnage ? Pourquoi ?

6. Montrez par une étude attentive des lignes 27, 32, 64 que Géronte est désemparé.

7. Géronte inspire-t-il la pitié du spectateur ? Vous-même, le plaignez-vous ? Exprimez votre sentiment en vous appuyant sur des passages précis de la scène.

LE COMIQUE DE LA FARCE

8. Quels sont les passages les plus comiques ? Pourquoi ?

9. On a beaucoup reproché à Molière la « scène du sac ». Et vous, l'appréciez-vous ? Trouvez-vous le comique de cette scène délicat ou grossier ? Justifiez votre point de vue à l'aide d'exemples précis.

10. Êtes-vous satisfait lorsque Géronte est enfermé dans le sac et reçoit des coups de bâton ? Justifiez votre réponse.

SCÈNE 3. ZERBINETTE, GÉRONTE.

ZERBINETTE, *en riant, sans voir Géronte.* Ah ! ah ! je veux prendre un peu l'air.

GÉRONTE, *se croyant seul.* Tu me le payeras, je te jure.

ZERBINETTE, *sans voir Géronte.* Ah ! ah ! ah ! ah ! la
5 plaisante histoire, et la bonne dupe que ce vieillard !

GÉRONTE. Il n'y a rien de plaisant à cela, et vous n'avez que faire d'en rire.

ZERBINETTE. Quoi ! que voulez-vous dire, Monsieur ?

GÉRONTE. Je veux dire que vous ne devez pas vous
10 moquer de moi.

ZERBINETTE. De vous ?

GÉRONTE. Oui.

ZERBINETTE. Comment ? qui songe à se moquer de vous ?

15 GÉRONTE. Pourquoi venez-vous ici me rire au nez ?

ZERBINETTE. Cela ne vous regarde point, et je ris toute seule d'un conte qu'on me vient de faire, le plus plaisant qu'on puisse entendre ; je ne sais pas si c'est parce que je suis intéressée dans la chose, mais je n'ai jamais
20 trouvé rien de si drôle qu'un tour qui vient d'être joué par un fils à son père pour en attraper de l'argent.

GÉRONTE. Par un fils à son père pour en attraper de l'argent ?

ZERBINETTE. Oui. Pour peu que vous me pressiez, vous
25 me trouverez assez disposée à vous dire l'affaire, et j'ai une démangeaison naturelle à faire part des contes que je sais.

GÉRONTE. Je vous prie de me dire cette histoire.

ZERBINETTE. Je le veux bien. Je ne risquerai pas

30 grand'chose à vous la dire, et c'est une aventure qui
n'est pas pour être longtemps secrète. La destinée a
voulu que je me trouvasse parmi une bande de ces
personnes qu'on appelle Égyptiens, et qui, rôdant de
province en province, se mêlent de dire la bonne
35 fortune, et quelquefois de beaucoup d'autres choses. En
arrivant dans cette ville, un jeune homme me vit et
conçut pour moi de l'amour. Dès ce moment il s'attache
à mes pas, et le voilà d'abord comme tous les jeunes
gens, qui croient qu'il n'y a qu'à parler, et qu'au
40 moindre mot qu'ils nous disent, leurs affaires sont
faites ; mais il trouva une fierté[1] qui lui fit un peu
corriger ses premières pensées. Il fit connaître sa passion
aux gens qui me tenaient, et il les trouva disposés à
me laisser à lui moyennant quelque somme. Mais le
45 mal de l'affaire était que mon amant se trouvait dans
l'état où l'on voit très souvent la plupart des fils de
famille, c'est-à-dire qu'il était dénué d'argent ; et il a
un père qui, quoique riche, est un avaricieux fieffé, le
plus vilain[2] homme du monde. Attendez. Ne me saurais-
50 je souvenir de son nom ? Hai ! Aidez-moi un peu. Ne
pouvez-vous me nommer quelqu'un de cette ville qui
soit connu pour être avare au dernier point ?

GÉRONTE.   Non.

ZERBINETTE.   Il y a à son nom du ron... ronte. Or...
55 Oronte. Non. Gé... Géronte. Oui. Géronte, justement ;
voilà mon vilain, je l'ai trouvé, c'est ce ladre-là que je
dis. Pour venir à notre conte, nos gens ont voulu
aujourd'hui partir de cette ville, et mon amant m'allait
perdre, faute d'argent, si, pour en tirer de son père, il

---

1. *Fierté* : retenue, dignité.
2. *Vilain* : avare.

107

60 n'avait trouvé de secours dans l'industrie[1] d'un serviteur
qu'il a. Pour le nom du serviteur, je le sais à merveille.
Il s'appelle Scapin ; c'est un homme incomparable, et
il mérite toutes les louanges qu'on peut donner.

GÉRONTE, *à part.* Ah ! coquin que tu es !

65 ZERBINETTE. Voici le stratagème dont il s'est servi pour
attraper sa dupe. Ah ! ah ! ah ! ah ! Je ne saurais m'en
souvenir que je ne rie de tout mon cœur. Ah ! ah !
ah ! Il est allé chercher ce chien d'avare ! ah ! ah ! ah !
et lui a dit qu'en se promenant sur le port avec son
70 fils, hi ! hi ! ils avaient vu une galère turque où on les
avait invités d'entrer ; qu'un jeune Turc leur y avait
donné la collation, ah ! que, tandis qu'ils mangeaient,
on avait mis la galère en mer, et que le Turc l'avait
renvoyé lui seul à terre dans un esquif, avec l'ordre de
75 dire au père de son maître qu'il emmenait son fils en
Alger, s'il ne lui envoyait tout à l'heure cinq cents écus.
Ah ! ah ! ah ! Voilà mon ladre, mon vilain, dans de
furieuses angoisses ; et la tendresse qu'il a pour son fils
fait un combat étrange avec son avarice. Cinq cents
80 écus qu'on lui demande sont justement cinq cents coups
de poignard qu'on lui donne. Ah ! ah ! ah ! Il ne peut
se résoudre à tirer cette somme de ses entrailles, et la
peine qu'il souffre lui fait trouver cent moyens ridicules
pour ravoir son fils. Ah ! ah ! Il veut envoyer la justice
85 en mer après la galère du Turc. Ah ! ah ! ah ! Il sollicite
son valet de s'aller offrir à tenir la place de son fils
jusqu'à ce qu'il ait amassé l'argent qu'il n'a pas envie
de donner. Ah ! ah ! ah ! il abandonne, pour faire les
cinq cents écus, quatre ou cinq vieux habits qui n'en

---

1. *Industrie :* ingéniosité.

90 valent pas trente. Ah ! ah ! ah ! Le valet lui fait
comprendre à tous coups l'impertinence de ses propositions, et chaque réflexion est douloureusement accom-
pagnée d'un : « Mais que diable allait-il faire à cette
galère ! Ah ! maudite galère ! Traître de Turc ! » Enfin,
95 après plusieurs détours, après avoir longtemps gémi et
soupiré... Mais il me semble que vous ne riez point de
mon conte. Qu'en dites-vous ?

GÉRONTE. Je dis que le jeune homme est un pendard,
un insolent, qui sera puni par son père du tour qu'il
00 lui a fait ; que l'Égyptienne est une malavisée, une
impertinente, de dire des injures à un homme d'honneur
qui saura lui apprendre à venir ici débaucher[1] les enfants
de famille[2], et que le valet est un scélérat qui sera par
Géronte envoyé au gibet avant qu'il soit demain.

---

1. *Débaucher :* détourner du droit chemin.
2. *Les enfants de famille :* les fils de bonne famille.

Acte III, scène 3

L'ACTION ET LES PERSONNAGES

1. Pourquoi Molière a-t-il jugé utile de faire raconter par Zerbinette une aventure que le spectateur connaît déjà ?

2. Quelles conséquences pensez-vous que les révélations de Zerbinette à Géronte auront sur la suite de l'action ?

3. Quels traits du caractère de Zerbinette découvrons-nous dans cette scène ? La trouvez-vous sympathique ? Dites pourquoi.

4. Quels coups successifs porte-t-elle à Géronte ? Vous répondrez en citant quelques passages significatifs.

5. Pourquoi Géronte ne coupe-t-il pas la parole à Zerbinette lorsqu'elle lui apprend les fourberies de Scapin ?

6. Pensez-vous que Géronte révèle son identité à Zerbinette dans sa dernière réplique (lignes 98-104) ? Comment parle-t-il de lui-même et de Zerbinette ?

LE COMIQUE

7. Qu'apporte le rire de Zerbinette à la scène ? à la pièce ?

8. Pourquoi rit-on dans cette scène ? À quels moments plus précisément ?

LES MŒURS DU XVIIᵉ SIÈCLE

9. Que nous apprend la dernière réplique de Géronte sur les relations entre un père et son fils, entre un maître et un valet ?

10. Les menaces de Géronte à Scapin vous semblent-elles réalistes ? Pourquoi ?

SCÈNE 4. SYLVESTRE, ZERBINETTE.

SYLVESTRE.   Où est-ce donc que vous vous échappez[1] ?
Savez-vous bien que vous venez de parler là au père
de votre amant ?

ZERBINETTE.   Je viens de m'en douter et je me suis
5 adressée à lui-même, sans y penser, pour lui conter son
histoire.

SYLVESTRE.   Comment, son histoire ?

ZERBINETTE.   Oui, j'étais toute remplie du conte, et je
brûlais[2] de le redire. Mais qu'importe ? Tant pis pour
10 lui. Je ne vois pas que les choses pour nous en puissent
être ni pis ni mieux.

SYLVESTRE.   Vous aviez grande envie de babiller ; et
c'est avoir bien de la langue que de ne pouvoir se taire
de ses propres affaires.

15 ZERBINETTE.   N'aurait-il pas appris cela de quelque
autre ?

SCÈNE 5.   ARGANTE, SYLVESTRE.

ARGANTE.   Holà ! Sylvestre.

SYLVESTRE, à Zerbinette.   Rentrez dans la maison. Voilà
mon maître qui m'appelle.

---

1. *Vous vous échappez* : vous dites n'importe quoi.
2. *Je brûlais* : j'avais hâte.

ARGANTE. Vous vous êtes donc accordés, coquin ; vous
5 vous êtes accordés, Scapin, vous et mon fils, pour me
fourber[1], et vous croyez que je l'endure[2] ?

SYLVESTRE. Ma foi, Monsieur, si Scapin vous fourbe,
je m'en lave les mains, et vous assure que je n'y trempe
en aucune façon.

10 ARGANTE. Nous verrons cette affaire, pendard, nous
verrons cette affaire, et je ne prétends pas qu'on me
fasse passer la plume par le bec[3].

SCÈNE 6. GÉRONTE, ARGANTE, SYLVESTRE.

GÉRONTE. Ah ! seigneur Argante, vous me voyez
accablé de disgrâce.

ARGANTE. Vous me voyez aussi dans un accablement
horrible.

5 GÉRONTE. Le pendard de Scapin, par une fourberie,
m'a attrapé cinq cents écus.

ARGANTE. Le même pendard de Scapin, par une
fourberie aussi, m'a attrapé deux cents pistoles.

GÉRONTE. Il ne s'est pas contenté de m'attraper cinq
10 cents écus, il m'a traité d'une manière que j'ai honte
de dire. Mais il me la payera.

---

1. *Me fourber :* me tromper.
2. *Que je l'endure :* que je puisse le supporter.
3. *Me passer la plume par le bec :* m'empêcher de faire ce que je
veux. À l'origine de cette expression, la pratique qui consiste à passer
une plume à travers les deux orifices du bec de l'oie pour l'empêcher
de passer par une haie et d'entrer dans des jardins.

ARGANTE.   Je veux qu'il me fasse raison de la pièce qu'il m'a jouée.

GÉRONTE.   Et je prétends faire de lui une vengeance
15 exemplaire.

SYLVESTRE, *à part*.   Plaise au Ciel que dans tout ceci je n'aie point ma part !

GÉRONTE.   Mais ce n'est pas encore tout, seigneur Argante, et un malheur nous est toujours l'avant-coureur
20 d'un autre. Je me réjouissais aujourd'hui de l'espérance d'avoir ma fille, dont je faisais toute ma consolation, et je viens d'apprendre de mon homme qu'elle est partie, il y a longtemps, de Tarente, et qu'on y croit qu'elle a péri dans le vaisseau où elle s'embarqua.

25 ARGANTE.   Mais pourquoi, s'il vous plaît, la tenir à Tarente, et ne vous être pas donné la joie de l'avoir avec vous ?

GÉRONTE.   J'ai eu mes raisons pour cela, et des intérêts de famille m'ont obligé jusques ici à tenir secret ce
30 second mariage. Mais que vois-je ?

113

Acte III, scènes 4, 5, 6

LES PERSONNAGES

1. Quel intérêt présente l'intervention de Sylvestre dans la scène 4 ?

2. Quelle qualité Zerbinette montre-t-elle dans cette courte scène ? Est-elle cruelle envers Géronte ?

3. La scène 6 présente-t-elle Argante et Géronte dans une situation semblable ? Comparez les répliques des deux personnages.

4. Argante est-il plus sympathique que Géronte dans cette scène ? Justifiez votre réponse.

5. Les deux pères vous font-ils rire ? Pourquoi ?

6. Que pensez-vous du fait qu'ils rejettent toute la responsabilité de la situation sur Scapin ? Est-ce tout à fait juste et honnête de leur part ? Justifiez votre réponse.

L'ACTION

7. Qu'apporte la scène 5 à la progression de l'action ?

8. À quoi sent-on dans la scène 5 que le dénouement est proche ?

9. Récapitulez les différentes informations que la scène 6 nous apprend. Sont-elles importantes ? Pourquoi ?

SCÈNE 7. NÉRINE, ARGANTE, GÉRONTE, SYLVESTRE.

GÉRONTE.   Ah ! te voilà, nourrice ?

NÉRINE, *se jetant à ses genoux.*   Ah ! seigneur Pandolphe, que...

GÉRONTE.   Appelle-moi Géronte, et ne te sers plus de
5 ce nom. Les raisons ont cessé, qui m'avaient obligé à
le prendre parmi vous à Tarente.

NÉRINE.   Las[1] ! que ce changement de nom nous a
causé de troubles[2] et d'inquiétudes dans les soins que
nous avons pris de vous venir chercher ici !

10 GÉRONTE.   Où est ma fille et sa mère[3] ?

NÉRINE.   Votre fille, Monsieur, n'est pas loin d'ici.
Mais, avant que de vous la faire voir, il faut que je
vous demande pardon de l'avoir mariée, dans l'aban-
donnement où, faute de vous rencontrer, je me suis
15 trouvée avec elle.

GÉRONTE.   Ma fille mariée !

NÉRINE.   Oui, monsieur.

GÉRONTE.   Et avec qui ?

NÉRINE.   Avec un jeune homme nommé Octave, fils
20 d'un certain seigneur Argante.

GÉRONTE.   Ô ciel !

ARGANTE.   Quelle rencontre !

GÉRONTE.   Mène-nous, mène-nous promptement où elle
est.

---

1. *Las :* hélas.
2. *Troubles :* soucis.
3. *Mère :* voir acte I, 2 et acte III, 9.

25 NÉRINE.   Vous n'avez qu'à entrer dans ce logis.

GÉRONTE.   Passe devant. Suivez-moi, suivez-moi, seigneur Argante.

SYLVESTRE.   Voilà une aventure qui est tout à fait surprenante !

SCÈNE 8.   SCAPIN, SYLVESTRE.

SCAPIN.   Hé bien ! Sylvestre, que font nos gens ?

SYLVESTRE.   J'ai deux avis à te donner. L'un, que l'affaire d'Octave est accommodée. Notre Hyacinte s'est trouvée la fille du seigneur Géronte ; et le hasard a fait ce que
5 la prudence des pères avait délibéré[1]. L'autre avis, c'est que les deux vieillards font contre toi des menaces épouvantables, et surtout le seigneur Géronte.

SCAPIN.   Cela n'est rien. Les menaces ne m'ont jamais fait mal, et ce sont des nuées qui passent bien loin sur
10 nos têtes.

SYLVESTRE.   Prends garde à toi ; les fils pourraient bien raccommoder avec les pères, et toi demeurer dans la nasse.

SCAPIN.   Laisse-moi faire, je trouverai moyen d'apaiser
15 leur courroux, et...

SYLVESTRE.   Retire-toi, les voilà qui sortent.

---

1. *Ce que... délibéré :* ce que la sagesse des pères avait décidé.

SCÈNE 9. GÉRONTE, ARGANTE, SYLVESTRE, NÉRINE, HYACINTE.

GÉRONTE. Allons, ma fille, venez chez moi. Ma joie aurait été parfaite si j'y avais pu voir votre mère avec vous.

ARGANTE. Voici Octave tout à propos.

SCÈNE 10. OCTAVE, ARGANTE, GÉRONTE, HYACINTE, NÉRINE, ZERBINETTE, SYLVESTRE.

ARGANTE. Venez, mon fils, venez vous réjouir avec nous de l'heureuse aventure de votre mariage. Le ciel...

OCTAVE, *sans voir Hyacinte*. Non, mon père, toutes vos propositions de mariage ne serviront de rien. Je dois
5 lever le masque avec vous, et l'on vous a dit mon engagement.

ARGANTE. Oui ; mais tu ne sais pas...

OCTAVE. Je sais tout ce qu'il faut savoir.

ARGANTE. Je veux te dire que la fille du seigneur
10 Géronte...

OCTAVE. La fille du seigneur Géronte ne me sera jamais de rien.

GÉRONTE. C'est elle...

OCTAVE, *à Géronte*. Non, Monsieur, je vous demande
15 pardon, mes résolutions sont prises.

SYLVESTRE, *à Octave*. Écoutez.

117

OCTAVE. Non, tais-toi, je n'écoute rien.

ARGANTE, *à Octave*. Ta femme...

OCTAVE. Non, vous dis-je, mon père, je mourrai plutôt
20 que de quitter mon aimable Hyacinte. *(Traversant le
théâtre pour aller à elle.)* Oui, vous avez beau faire, la
voilà celle à qui ma foi est engagée ; je l'aimerai toute
ma vie, et je ne veux point d'autre femme...

ARGANTE. Hé bien ! c'est elle qu'on te donne. Quel
25 diable d'étourdi, qui suit toujours sa pointe[1] !

HYACINTE, *montrant Géronte*. Oui, Octave, voilà mon
père que j'ai trouvé, et nous nous voyons hors de peine.

GÉRONTE. Allons chez moi, nous serons mieux qu'ici
pour nous entretenir.

30 HYACINTE, *montrant Zerbinette*. Ah ! mon père, je vous
demande par grâce que je ne sois pas séparée de
l'aimable personne que vous voyez : elle a un mérite
qui vous fera concevoir de l'estime pour elle quand il
sera connu de vous.

35 GÉRONTE. Tu veux que je tienne chez moi une personne
qui est aimée de ton frère et qui m'a dit tantôt au nez
mille sottises de moi-même !

ZERBINETTE. Monsieur, je vous prie de m'excuser. Je
n'aurais pas parlé de la sorte, si j'avais su que c'était
40 vous, et je ne vous connaissais que de réputation.

GÉRONTE. Comment ! que de réputation ?

HYACINTE. Mon père, la passion que mon frère a pour
elle n'a rien de criminel, et je réponds de sa vertu.

---

1. *Qui suit toujours sa pointe :* qui poursuit son idée avec obstination.

GÉRONTE.   Voilà qui est fort bien. Ne voudrait-on point
45 que je mariasse mon fils avec elle ! Une fille qui,
inconnue, fait le métier de coureuse[1] !

SCÈNE 11.   LÉANDRE, OCTAVE, HYACINTE, ZERBINETTE, ARGANTE, GÉRONTE, SYLVESTRE, NÉRINE.

LÉANDRE.   Mon père, ne vous plaignez point que j'aime
une inconnue sans naissance et sans bien. Ceux de qui
je l'ai rachetée viennent de me découvrir qu'elle est de
cette ville et d'honnête famille ; que ce sont eux qui
5 l'ont dérobée à l'âge de quatre ans ; et voici un bracelet
qu'ils m'ont donné, qui pourra nous aider à trouver ses
parents.

ARGANTE.   Hélas ! à voir ce bracelet, c'est ma fille que
je perdis à l'âge que vous dites.

10 GÉRONTE.   Votre fille ?

ARGANTE.   Oui, ce l'est, et j'y vois tous les traits qui
m'en peuvent rendre assuré.

HYACINTE.   Ô Ciel ! que d'aventures extraordinaires !

---

1. *Coureuse* : vagabonde.

SCÈNE 12. CARLE, LÉANDRE, OCTAVE, GÉRONTE, ARGANTE, HYACINTE, ZERBINETTE, SYLVESTRE, NÉRINE.

CARLE.   Ah ! Messieurs, il vient d'arriver un accident étrange.

GÉRONTE.   Quoi ?

CARLE.   Le pauvre Scapin...

5 GÉRONTE.   C'est un coquin que je veux pendre.

CARLE.   Hélas ! Monsieur, vous ne serez pas en peine de cela. En passant contre un bâtiment, il lui est tombé sur la tête un marteau de tailleur de pierre qui lui a brisé l'os et découvert toute la cervelle. Il se meurt, et
10 il a prié qu'on l'apportât ici pour vous pouvoir parler avant que de mourir.

ARGANTE.   Où est-il ?

CARLE.   Le voilà.

Acte III, scènes 7, 8, 9, 10, 11, 12

L'ACTION

1. Résumez ces six scènes, en ne retenant d'elles que ce qui intéresse l'action.

2. La « reconnaissance » dans la scène 7 vous paraît-elle vraisemblable ? Commentez la dernière réplique de Sylvestre (l. 28-29).

3. Distinguez les deux parties de la scène 10 et donnez-leur un titre.

4. À l'issue de la scène 10, la situation de tous les personnages est-elle réglée ? Justifiez votre réponse.

5. Quelle est l'importance de la scène 11 dans le dénouement ?

6. Quel est l'intérêt de la scène 12 ? Quel effet sur Argante et Géronte vise la révélation de Carle ?

LES PERSONNAGES

7. Pourquoi Scapin apparaît-il si peu de temps (scène 8) ?

8. Commentez la réplique de Scapin (lignes 8 à 10, sc. 8). Ses paroles sont-elles en accord avec le caractère que nous lui supposons ? Justifiez votre réponse, en citant éventuellement d'autres passages de la pièce.

9. Dans la scène 9, Géronte est-il peiné de la perte de sa femme ? Commentez ses paroles.

10. Quel trait du caractère d'Octave apparaît dans la scène 10 ?

11. Zerbinette a montré qu'elle était la spécialiste des « gaffes » (voir acte III, scène 3). Quelle est sa dernière « gaffe » dans la scène 10.

LE COMIQUE

12. Qu'est-ce qu'un quiproquo ? Montrez que la scène 10 en est un.

13. Quels sont les autres éléments qui renforcent le comique de la scène 10 (jeux de scène, échanges de répliques, etc.) ?

SCÈNE 13. SCAPIN, CARLE, GÉRONTE, ARGANTE, ETC.

SCAPIN, *apporté par deux hommes, et la tête entourée de linges, comme s'il avait été bien blessé.* Ahi ! ahi ! Messieurs, vous me voyez... Ahi ! vous me voyez dans un étrange état. Ahi ! Je n'ai pas voulu mourir sans venir demander
5 pardon à toutes les personnes que je puis avoir offensées. Ahi ! oui, Messieurs, avant que de rendre le dernier soupir, je vous conjure de tout mon cœur de vouloir me pardonner tout ce que je puis vous avoir fait, et principalement le seigneur Argante et le seigneur Géronte.
10 Ahi !

ARGANTE. Pour moi, je te pardonne ; va, meurs en repos...

SCAPIN, *à Géronte.* C'est vous, Monsieur, que j'ai le plus offensé par les coups de bâton que...

15 GÉRONTE. Ne parle pas davantage, je te pardonne aussi.

SCAPIN. Ç'a été une témérité bien grande à moi que les coups de bâton que je...

GÉRONTE. Laissons cela.

20 SCAPIN. J'ai, en mourant, une douleur inconcevable des coups de bâton que...

GÉRONTE. Mon Dieu, tais-toi.

SCAPIN. Les malheureux coups de bâton que je vous...

GÉRONTE. Tais-toi, te dis-je, j'oublie tout.

25 SCAPIN. Hélas ! quelle bonté ! Mais est-ce de bon cœur, Monsieur, que vous me pardonnez ces coups de bâton que...

GÉRONTE. Eh ! oui. Ne parlons plus de rien ; je te pardonne tout : voilà qui est fait.

30 SCAPIN. Ah ! Monsieur, je me sens tout soulagé depuis cette parole.

GÉRONTE. Oui ; mais je te pardonne à la charge que[1] tu mourras.

SCAPIN. Comment, Monsieur ?

35 GÉRONTE. Je me dédis de ma parole si tu réchappes.

SCAPIN. Ahi ! ahi ! Voilà mes faiblesses qui me reprennent.

ARGANTE. Seigneur Géronte, en faveur de notre joie, il faut lui pardonner sans condition.

40 GÉRONTE. Soit.

ARGANTE. Allons souper ensemble pour mieux goûter notre plaisir.

SCAPIN. Et moi, qu'on me porte au bout de la table, en attendant que je meure.

J. B. P. de Molière

---

1. *À la charge que :* à condition qu'en compensation.

Acte III, scène 13

LA DERNIÈRE FOURBERIE

1. Cette dernière fourberie vous paraît-elle aussi bien organisée que les autres ? Scapin vous semble-t-il meilleur dans cette dernière fourberie ? Justifiez votre réponse.
2. Quels en sont les enjeux ?
3. Montrez que le comique de cette dernière scène repose sur les réactions de Géronte aux propos de Scapin.
4. Par quels sentiments différents les spectateurs passent-ils dans cette scène ?

LES PERSONNAGES

5. Scapin est-il bon comédien ? Pourquoi ?
6. Sur quels sentiments joue Scapin lorsqu'il s'adresse à Géronte ?
7. Quel aspect du caractère de Scapin dévoile sa dernière réplique ?
8. Pourquoi Octave, Hyacinte, Léandre et Zerbinette n'interviennent-ils pas dans cette scène ? Sont-ils indifférents au sort de Scapin ? Justifiez votre réponse.

QUESTIONS SUR L'ENSEMBLE DE L'ACTE III

1. Pourquoi Molière multiplie-t-il les scènes courtes dans cet acte ?
2. À partir de quelle scène peut-on parler de dénouement dans cet acte ?
3. Quels aspects du caractère de Scapin sont particulièrement mis en valeur dans cet acte ? Quelle impression gardez-vous du personnage ?
4. Quels sont les moments dans l'acte III où Molière laisse libre cours à son goût pour la farce (voir p. 12) ? Aimez-vous ce genre de comique ? Justifiez votre réponse. N'y a-t-il que du comique de farce dans l'acte III. Citez des passages précis.
5. Avez-vous apprécié ce dénouement ? Dites pourquoi.

Documentation thématique

Être jeune au XVIIe siècle

Léandre comme Octave, Hyacinte comme Zerbinette recherchent partout des moyens de se procurer de l'argent. Les deux garçons appartiennent cependant à des familles aisées, mais ils craignent la sévérité de leurs pères qui ne leur laissent que le strict nécessaire pour subsister. Comment, dans cette situation préoccupante, pouvoir s'habiller à la mode du temps, sortir dans le monde, assumer les frais occasionnés par les petits cadeaux offerts à celle que l'on aime ? Comment en fait vit-on sa jeunesse au XVIIe siècle ?

Pour répondre à cette question, il convient de se faire une idée de la société sous Louis XIV.

Des mariages « arrangés »

À cette époque, la société est en pleine évolution. Les deux classes dirigeantes, la noblesse et la bourgeoisie, se partagent le pouvoir. Les bourgeois surtout (des commerçants, armateurs, hommes d'affaires) ont accumulé, au fil du temps et par leur travail, des fortunes considérables qu'ils ont converties en propriétés terriennes et en rentes de toute sorte. Ils détiennent l'argent, rare à cette époque où le commerce fleurit et où Colbert, le ministre du roi, encourage le développement des industries.

De ce fait, les nobles ne voient plus d'un si mauvais œil qu'auparavant de bonnes alliances avec la bourgeoisie. Bien au contraire. Il n'est plus malséant pour un noble de « redorer son blason », en épousant une bourgeoise enrichie : on troque allègrement son nom et ses armoiries contre une belle dot (somme d'argent que la femme apporte dans sa corbeille de noces). Les mariages entre les deux classes dominantes se concluent comme des affaires marchandes. Chacun a son prix. Le « barbon » (homme de cinquante ans) trouve « tendron » (jeune fille) à son goût dans la mesure où il possède un nom prestigieux. Et la laideronne ne doit pas se désespérer si elle est riche. C'est le père qui décide de l'avenir de ses enfants selon les intérêts et alliances de sa famille.

Tel est le sort de la jeunesse dorée au XVIIe siècle : soumise à la rude autorité des parents, privée de la liberté de disposer d'elle-même, elle se voit l'objet d'un troc épouvantable et contemple avec amertume ses amours piétinées. À vrai dire, le peu de cas qu'on fait de ses goûts durant son éducation la prédispose à accepter une situation aussi frustrante.

Une instruction inégale

Les garçons, qui ne sont majeurs qu'à vingt-cinq ans, ont parfois connu dans leur enfance un précepteur — souvent un homme d'Église — qui leur a appris à obéir et qui n'a pas hésité à les battre en cas de résistance. Parfois, les jeunes gens ont suivi les cours de la « petite école », où la férule (sorte de fouet) sévit, rappelant les indociles à plus de compréhension. Puis, ils sont passés au collège, et des internats moroses ont achevé leur éducation.

Les filles, pour leur part, sont moins gâtées encore. Certaines ont la chance d'être éduquées par une gouvernante, au sein de leur famille. Les autres partent pour le couvent, où des religieuses les initient aux joies de la couture, des prières quotidiennes et des lectures pieuses, dont tout roman est banni. On leur apprend, en outre, comment tenir dignement leur future place de mère de famille, soumise à l'autorité de leur époux. Pour elles, se marier, c'est quitter un père tout-puissant pour se plier au bon vouloir d'un mari. Elles vivent ainsi leur jeunesse, et, passé trente ans, on les considère comme des vieilles femmes.

Une jeunesse démunie

Soumis à une telle éducation, les jeunes gens de vingt ans sont peu armés devant la vie. Sans responsabilité, souvent sans personnalité, ils se frottent maladroitement au monde qui les entoure, accumulant les sottises et les erreurs de jugement. Disposent-ils d'un peu d'argent ? Ils le dissipent dans des fêtes éphémères et des plaisirs trompeurs. Car personne ne leur a enseigné les choses de la vie qu'ils découvrent, le plus souvent, à leurs dépens.

Ainsi les personnages de Molière s'éclairent-ils d'un nouveau jour. Ils portent témoignage sur la jeunesse de leur temps : insouciante certes, naïve aussi, mais surtout désemparée devant les épreuves de la vie, incapable de prendre des décisions.

Molière, dans chacune de ses œuvres, a parfois ridiculisé leurs défauts. Il a aussi voulu montrer, en peignant ces jeunes, combien était grand le mal d'un siècle qui faisait si peu de cas de ses générations futures et qui savait si mal les éduquer.

La farce à travers les âges

Tous les peuples ont aimé se divertir au théâtre. Sur des tréteaux de bois édifiés à la hâte dans les quartiers populaires de la Rome antique, un genre recueillait tous les suffrages : l'*attelane*. Venus de la proche province, des personnages masqués — ancêtres de nos Arlequin et Polichinelle — lançaient leurs quolibets improvisés. Et le peuple s'amusait de voir moquer les travers de son temps. Partie de Rome, l'*attelane* traversa les pays et les époques.

Elle réapparut en France au Moyen Âge : sur les parvis des églises, on avait coutume de représenter les mystères sacrés durant des jours entiers. L'*attelane* devint alors « farce », car sa fonction était d'égayer le peuple entre deux grandes scènes de l'histoire chrétienne. Et de cette farce (improvisée au début, plus tard écrite) surgirent des chefs-d'œuvre inattendus. La farce latine, au fil du temps, devint française. Elle se nourrit de l'esprit d'un peuple dont elle traduisit les nostalgies, les revanches, mais aussi le bon sens et les joies simples. Vivante du XIIIe au XVIIIe siècle, elle s'assoupit au XIXe siècle pour connaître un nouveau succès à notre époque, avec Alfred Jarry *(Ubu roi)* et Arrabal, par exemple.

La satire de la justice

La Farce de maistre Pathelin a été écrite à la fin du XVe siècle et son auteur nous est inconnu. Son succès fut immense au point que le verbe « pateliner » (séduire d'une manière hypocrite) apparut dans la langue française dès 1469. Maistre Pathelin a défendu le berger Aignelet, accusé d'avoir volé Maistre Guillaume. Il lui a conseillé de répondre « Bée » à toutes les questions posées par le juge ou son accusateur. Aignelet a gagné son procès. Il doit à présent payer son avocat.

SCÈNE 10.   PATHELIN, THIBAULT AIGNELET.

La scène est devant le tribunal.

PATHELIN.   Dis donc, Aignelet !

THIBAULT AIGNELET.   Bée !

PATHELIN.   Viens çà, viens ! Ton affaire est-elle bien réglée ?

THIBAULT AIGNELET.   Bée !

PATHELIN.   Ta partie s'est retirée. Ne dis plus « Bée ! ». Ce n'est plus la peine ! L'ai-je bien entortillé ? Mes conseils n'étaient-ils pas opportuns ?

THIBAULT AIGNELET.   Bée !

PATHELIN.   Eh ! Diable ! On ne t'entendra pas : parle hardiment ! Ne t'inquiète pas !

THIBAULT AIGNELET.   Bée !

PATHELIN.   Il est temps que je m'en aille ! Paie-moi !

THIBAULT AIGNELET.   Bée !

PATHELIN.   À dire vrai, tu as très bien tenu ton rôle, et ton attitude a été bonne. Ce qui lui a donné le change, c'est que tu t'es retenu de rire.

THIBAULT AIGNELET.   Bée !

PATHELIN.   Qu'est-ce que ce « Bée » ? Il ne faut plus le dire ! Paie-moi bien et gentiment !

THIBAULT AIGNELET.   Bée !

PATHELIN.   Qu'est-ce que ce « Bée » ? Parle raisonnablement. Paie-moi. Et je m'en irai.

THIBAULT AIGNELET.   Bée !

PATHELIN.   Sais-tu ? Je te dirai une chose : je te prie, sans plus me bêler après, de songer à me payer. J'en ai assez de tes « Bée » ! Vite ! Paie !

THIBAULT AIGNELET.   Bée !

PATHELIN.   Est-ce moquerie ? Est-ce tout ce que tu en feras ? Je te le jure, tu me paieras, entends-tu ? à moins que tu ne t'envoles ! Allons ! L'argent !

THIBAULT AIGNELET.   Bée !

PATHELIN.   Tu te ris ! Comment ! N'en aurai-je autre chose ?

THIBAULT AIGNELET.   Bée !

PATHELIN.   Tu fais le rimeur en prose ! Et à qui vends-tu tes coquilles ? Sais-tu ce qu'il en est ? Ne me rebats plus désormais les oreilles de ton « Bée ! » et paie-moi !

THIBAULT AIGNELET.   Bée !

PATHELIN.   N'en tirerai-je autre monnaie ? De qui crois-tu te jouer ? Je devais tant me louer de toi ! Eh bien ! Fais donc que je m'en loue !

THIBAULT AIGNELET.   Bée !

PATHELIN.   Me fais-tu manger de l'oie ? Maugrebleu ! Ai-je tant vécu qu'un berger, un mouton habillé, un vilain paillard, me bafoue ?

THIBAULT AIGNELET.   Bée !

PATHELIN.   N'en tirerai-je pas un autre mot ? Si c'est pour te divertir, dis-le ! Ne me fais plus discuter ! Viens-t'en souper à la maison !

THIBAULT AIGNELET.   Bée !

PATHELIN.   Par saint Jean, tu as raison. Les oisons mènent paître les oies. Je croyais être maître de tous les trompeurs d'ici et d'ailleurs, des aigrefins et bailleurs de paroles à tenir le jour du jugement, et un berger des champs me surpasse ! Par saint Jacques, si je trouvais un bon officier de police, je te ferais arrêter !

THIBAULT AIGNELET.   Bée !

PATHELIN.   Heu ! Bée ! Qu'on me pende si je ne fais pas venir un bon officier ! Malheur à lui s'il ne te met pas en prison !

THIBAULT AIGNELET.   S'il me trouve, je lui pardonne !

> *La Farce de maistre Pathelin*, vers 1465,
> traduction de Guillaume Picot, Larousse
> (coll. « Classiques Larousse »).

Scène de ménage

La Farce du cuvier est l'œuvre d'un auteur anonyme du XVe siècle. Jacquinot est un forgeron. Or, un jour, son épouse Anne et sa belle-mère Jacquette décident de l'obliger à faire tous les travaux domestiques de la maison. Elles font donc la liste de ses tâches sur un « rôlet », c'est-à-dire sur un rouleau de parchemin (peau traitée pour l'écriture). Mais le forgeron n'a pas dit son dernier mot...

SCÈNE 4.   ANNE, JACQUINOT.

ANNE.
Vous allez m'aider à plier
Tout le linge de ce cuvier.
Prenez le bout de cette pièce
De drap qu'avec délicatesse
Je sors humide du baquet ;
Et puis tordons-la sans arrêt...
Tendez, tournez, et tirez fort.

JACQUINOT.
Voyez : je fais tous mes efforts ;
Je ne boude pas à l'ouvrage
Et tends le linge avec courage...
Je tords ; je tire...

133

ANNE.

Vertuchou !
Vous avez lâché votre bout
Et m'avez fait choir en la cuve !

JACQUINOT.

Dans l'onde qui sort de l'étuve !

ANNE.

Hâtez-vous ! Je vais me noyer !
Retirez-moi de cette tonne !

JACQUINOT.

(Il va posément chercher le rôlet.)

J'ai beau chercher ; cela m'étonne
Que vous n'ayez prévu ce cas...
Vous repêcher ? Je ne vois pas
Cet ordre-ci sur ma consigne...

ANNE.

Que vous êtes d'humeur maligne !
Baillez-moi la main, Jacquinot !

JACQUINOT.

J'ai beau consulter mot à mot
Ce billet plein de prévoyance :
Que doit faire, en la circonstance,
Un mari devenu valet ?
Je ne vois rien sur mon rôlet.

ANNE.

Terminez cette facétie !
Mon ami, sauvez-moi la vie !
Hélas ! la mort va m'enlever.

JACQUINOT.

« Bluter, pétrir, cuire, laver... »

ANNE.

Déjà le démon me menace
N'étant pas en état de grâce...
Et je vais sans doute mourir...

JACQUINOT.

« Aller, venir, trotter, courir... »

ANNE.

Si je lâche, c'est la noyade !

134

Et pas moyen que je m'évade !
Je ne passerai point le jour...

JACQUINOT.

« Faire le pain, chauffer le four... »

ANNE.

C'est la mort la plus redoutée,
Car je vais être ébouillantée !
Au secours ! Jacquot, c'est la fin !

JACQUINOT.

« Mener la mouture au moulin... »

ANNE.

Las ! J'ai de l'eau jusqu'aux aisselles !

JACQUINOT.

« Et récurer les écuelles... »
J'ai tout parcouru, j'ai tout vu...
Ce cas-là n'était pas prévu...

ANNE.

Au secours, ma chère Jacquette !

JACQUINOT.

« Et tenir la cuisine nette... »

ANNE.

Allez me chercher le curé ;
Que mon salut soit assuré !

JACQUINOT.

« Et nettoyer les casseroles... »
Non ; cela n'est pas dans mon rôle...

ANNE.

Et pourquoi n'est-ce point écrit ?

JACQUINOT.

Parce qu'on ne me l'a pas dit !
Puisque vous m'avez fait promettre
D'exécuter l'ordre à la lettre,
J'obéis au commandement
Que vous-même et votre maman
M'avez fait signer tout à l'heure !

ANNE.

Vous souhaitez donc que je meure ?

135

JACQUINOT.
Je me plie à tous vos décrets ;
Sauvez-vous comme vous pourrez ;
Moi, je respecte ma consigne.

ANNE.
Que votre conduite est indigne !
Envoyez-moi quelque valet !

JACQUINOT.
Cela n'est pas dans mon rôlet !

La Farce du cuvier,
adapté par Henri Farémont, la Librairie Théâtrale.

La tradition au XVIIIe siècle

Héritées de la commedia dell'arte dont elles perpétuent la tradition, les œuvres de Lesage et Fuzelier étaient jouées sur des tréteaux, comme dans la Rome antique. Dans cette scène, Scaramouche, accompagné d'un jeune enfant, rencontre Arlequin.

SCÈNE 8.

Arlequin, Scaramouche en habit de bourgeois, une corbeille à la main.

SCARAMOUCHE. Eh ! bonjour Arlequin ! *(Ils s'embrassent.)* Tu es toujours dans le service, à ce qu'il me semble ?

ARLEQUIN. Est-ce que tu n'y es plus, toi ?

SCARAMOUCHE. J'ai fait une fin, mon enfant. Je suis devenu bourgeois de Paris. Je suis confiturier.

ARLEQUIN, *regardant la corbeille d'un œil d'envie.* Bel établissement, ma foi ! voilà de ton ouvrage apparemment ?

SCARAMOUCHE. Sans doute. Ce sont des fruits confits que j'apporte dans cette maison pour une noce.

ARLEQUIN, *prenant des confitures dans la corbeille*.   J'en veux goûter, pour voir ce que tu sais faire : à la besogne on connaît l'ouvrier.

SCARAMOUCHE.   Eh bien, qu'en dis-tu ?

ARLEQUIN, *après avoir mangé, en prenant encore*.   Tu es bon confiturier, parbleu ; tu travailles à merveille.

SCARAMOUCHE, *mettant la corbeille du côté opposé à Arlequin*.   Et toi, de même. Tudieu ! vous êtes bien expéditif !

ARLEQUIN, *se léchant les doigts*.   Par quelle aventure as-tu embrassé une si belle profession ?

SCARAMOUCHE.   Je vais te le dire. Au commencement de cette année, j'entrai dans une boutique de confiturier, pour y acheter quelques petites douceurs pour faire des étrennes.

ARLEQUIN, *passant du côté de la corbeille*.   Fort bien.

SCARAMOUCHE.   Je vois dans le comptoir une Donna qui avait un petit enfant auprès d'elle, ma una donna ben fatta.

ARLEQUIN, *mettant la main dans la corbeille*.   Jeune et belle ?

SCARAMOUCHE.   Là, là.

ARLEQUIN.   Blonde ?

SCARAMOUCHE.   Non.

ARLEQUIN.   Brune donc ?

SCARAMOUCHE.   Pas tout à fait. Ses cheveux sont noirs et blancs par-ci par-là.

ARLEQUIN.   Ah ! oui. En demi-deuil...

SCARAMOUCHE, *observant Arlequin, qui prend des confitures*.   Je la salue..., je caresse le petit enfant... Mais que faites-vous là ?

ARLEQUIN, *se voyant surpris*.   Mignon, mignon. Tenez, mon fils.

SCARAMOUCHE.   Vous prenez mes confitures, je crois...

ARLEQUIN. C'est que je veux donner du bonbon à l'enfant.

SCARAMOUCHE, *mettant la corbeille de l'autre côté.* Hé, non, non ! vous lui gâterez les dents... je vous disais donc que je salue la marchande : je lui demande des dragées et je commence (vous m'entendez bien) à lui conter fleurette.

ARLEQUIN. Conter fleurette ! Je vous entends. Diable ! vous êtes un fin matois.

SCARAMOUCHE, *riant.* Hé, hé... elle m'écoute ; et, pour vous le couper court, elle m'apprend qu'elle est veuve : je m'offre à l'épouser : elle me prend au mot ; et...
S'apercevant qu'Arlequin visite encore sa corbeille. Oh, oh ! vous vous plaisez diablement de ce côté-là !

ARLEQUIN.
(Air : Lon-lan-la, derirette)
C'est que j'entends de ce côté
Mieux que de l'autre, en vérité,
Lon-lan-la, derirette.

SCARAMOUCHE,
en remettant la corbeille de l'autre côté.
Demeurez-y donc, mon ami
Lon-lan-la, deriri.

Lesage et Fuzelier, *le Tableau du mariage*,
dans *Théâtre de foire du XVIIIᵉ siècle*,
Union générale d'Éditions.

Personnage de la commedia dell'arte.
Tableau de Claude Gillot (1673-1722).
Musée d'Abbeville.

139

La naïveté de la farce

L'île est au centre de la tradition farcesque. Tout y est possible. Le rêve, c'est la réalité. L'essentiel est de provoquer le rire populaire.

La scène est dans une île habitée par des ogres. Le théâtre représente une île, des rochers et des arbres dans les ailes, et dans le fond une mer agitée, dans laquelle on voit Arlequin qui s'efforce de gagner le rivage, à l'aide d'une planche qu'il tient.

SCÈNE PREMIÈRE.   ARLEQUIN, *seul.*
Il prend terre ; et après s'être secoué comme un barbet qui sort de l'eau, il dit :

Grâce au ciel, me voici échappé du naufrage. J'ai été plus heureux que mon ami Scaramouche, qui aura sans doute été englouti dans les flots. Mais que dis-je ? plus heureux ! je suis peut-être dans une île déserte, où je vais périr par la faim, si quelque bête féroce ne la prévient pas en me dévorant.

Il regarde avec inquiétude de tous côtés.

Hoïmé ! Il me semble que j'en vois là-bas courir quelques-unes.

Il jette les yeux sur une peau de chat sauvage qui est étendue sur un arbrisseau, ce qui lui fait faire quelques pas en arrière.

Ahi ! ahi ! ahi ! Qu'est-ce que c'est que cela ? Voyons un peu.

Il se rapproche en tremblant, prend la peau et l'examine.

Je crois que c'est la peau d'un tigre ou d'un chat sauvage. Parbleu ! cela m'inspire une bonne idée. J'ai envie de me couvrir de cette peau. Les animaux me prendront pour un animal ; et comme ce ne sont pas des hommes, ils respecteront leur semblable.

Il se couvre de la peau.

140

SCÈNE 2.   ARLEQUIN, UN CHAT SAUVAGE.
À peine Arlequin s'est-il revêtu de sa peau, qu'il voit descendre du haut d'un rocher un gros chat sauvage, qui, l'apercevant aussi, vient vers lui.

ARLEQUIN, *effrayé.*   O poveretto mi !

LE CHAT.   Miaou, miaou, miaou.

ARLEQUIN, *bas.*   Il faut que je le flatte.

Il va au-devant du chat et lui dit d'une voix caressante.
Mini, mini, mini.

LE CHAT, *caressant Arlequin.*   Miaou, miaou.

ARLEQUIN.   Ah ! morbleu, c'est apparemment une chatte en chaleur qui me prend pour son mâle.
Haut : Vous vous adressez mal, ma pauvre minette.

Le chat flaire Arlequin, qui le flatte en lui passant la main sur la tête et sur le dos. La bête dresse la queue comme font les chats en pareille occasion. Elle fait ensuite quelques cabrioles qu'Arlequin imite. Après quoi ils grimpent tous deux sur un grand arbre, où ils font plusieurs tours de passe-passe.

Lesage, *Arlequin, roi des Ogres
ou les Bottes de sept lieues,*
dans *Théâtre de foire du XVIIIe siècle,*
Union générale d'Éditions.

Annexes

Molière et ses sources

Ce dossier présente les pièces essentielles dont Molière s'est inspiré. Un extrait de chacune d'entre elles permet de mieux situer la dette du dramaturge et son originalité. Un tableau des correspondances simplifie les comparaisons et propose d'autres pistes de recherche.

Sources	les Fourberies de Scapin
Térence, *Phormion* :	
Acte I, scène 2	Acte I, scène 2
Acte II, scène 1	Acte I, scène 4
Acte IV, scène 3	Acte II, scène 5
Jean de Rotrou, *la Sœur* :	
Acte I, scène 1	Acte I, scène 1
Cyrano de Bergerac, *le Pédant joué* :	
Acte II, scène 2	Acte II, scène 7
Acte II, scène 8	Acte III, scène 3
Joguenet ou les Vieillards dupés :	
Acte III, scène 2	Acte III, scène 2

Térence (vers 185-159 av. J.-C.), *Phormion*

Géta et Dave sont les esclaves de Démiphon. Géta raconte comment son jeune maître Antiphon est tombé amoureux d'une orpheline à la suite de la rencontre qu'il a faite d'un jeune homme en larmes.

GÉTA. [...] Nous lui demandons ce qu'il y a :
« Jamais, dit-il, comme tantôt la pauvreté ne m'a
paru un misérable et pesant fardeau. J'ai vu tantôt,
ici près, une malheureuse jeune fille qui pleurait sa
mère morte ; celle-ci était déposée vis-à-vis, et il
n'y avait là ni personne amie, ni connaissance, ni
voisin, à part une pauvre vieille, pour aider aux
funérailles. J'ai été saisi de compassion. La jeune
fille, elle, est d'une beauté extraordinaire. » Que dire
de plus ? Il nous avait tous bouleversés. Là-dessus,
Antiphon, tout à coup : « Voulez-vous que nous
allions la voir ? » Un autre : « C'est mon avis ;
allons-y ; conduis-nous, s'il te plaît. » Nous partons,
nous voilà arrivés ; nous regardons : belle fille, en
effet ; et, raison de plus pour le dire, elle n'avait
aucun adjuvant à sa beauté : cheveux épars, pieds
nus, négligée de sa personne, en larmes, vêtements
minables, au point que, si elle n'eût tiré ses avantages
de sa beauté naturelle, il y avait là de quoi réduire
à néant cette beauté. L'autre, l'amoureux de la
joueuse de lyre, dit simplement : « Assez plaisante ! »
Mais le nôtre...

DAVE. J'imagine tout de suite : il s'est épris d'elle.

GÉTA. Imagines-tu à quel point ? Regarde où en sont
les choses : le lendemain, il se rend tout droit chez la
vieille, il la supplie de le mettre à même de la voir ;
elle refuse net, et lui dit que ce n'est pas correct, qu'elle
est citoyenne athénienne, honnête fille issue d'honnêtes
gens. S'il la veut pour femme, il lui est loisible de
procéder selon la loi ; autrement, elle refuse. Voilà notre
homme à ne pas savoir ce qu'il doit faire : d'une part
il avait envie de l'épouser, et d'autre part, il redoutait
son père absent.

Acte I, scène 2, vers 92-118.
Traduction Jules Marouzeau, *Les Belles Lettres*.

Jean de Rotrou (1609-1650), *la Sœur*

LÉLIE.

Ô fatale nouvelle, et qui me désespère !
Mon oncle te l'a dit ? et le tient de mon père !

ERGASTE.

Oui.

LÉLIE.

    Que pour Éroxène, il destine ma foi !
Qu'il doit absolument m'imposer cette loi !
Qu'il promet Aurélie aux vœux de Polydore !

ERGASTE.

Je vous l'ai déjà dit, et vous le dis encore.

LÉLIE.

Et qu'exigeant de nous ce funeste devoir,
Il nous veut obliger d'épouser dès ce soir !

ERGASTE.

Dès ce soir.

LÉLIE.

    Et tu crois qu'il te parlait sans feinte !

ERGASTE.

Sans feinte.

LÉLIE.

    Ha ! si d'amour tu ressentais l'atteinte,
Tu plaindrais moins ces mots qui te coûtent si cher,
Et qu'avec tant de peine il te faut arracher,
Et cette avare écho, qui répond par ta bouche,
Serait plus indulgente à l'amour qui me touche !

ERGASTE.

Comme on m'a tout appris, je vous l'ai rapporté,
Je n'ai rien oublié, je n'ai rien ajouté.
Que désirez-vous plus ?

                       Acte I, scène 1.

Cyrano de Bergerac (1619-1655), *le Pédant joué*

Corbineli, le valet de Granger fils, essaie de soutirer de l'argent à Granger père. Il invente donc une histoire d'enlèvement du fils par des Turcs qui le libéreraient en échange d'une rançon.

GRANGER.   [...] Va-t'en donc leur dire, de ma part, que le premier des leurs qui tombera entre mes mains, je le leur renverrai pour rien... Ah ! que diable aller faire en cette galère ?

CORBINELI.   Tout cela s'appelle dormir les yeux ouverts.

GRANGER.   Mon Dieu ! Faut-il être ruiné à l'âge où je suis ? Va-t'en avec Paquier : prends le reste du teston que je lui donnai pour la dépense il n'y a que huit jours... Aller sans dessein dans une galère !... Prends tout le reliquat de cette pièce. Ah ! malheureuse géniture, tu me coûtes plus d'or que tu n'es pesant !... Paye la rançon, et ce qui en restera, emploie-le en œuvres pies... Dans la galère d'un Turc !... Bien, va-t'en ! Mais misérable, dis-moi que diable allais-tu faire dans cette galère ? Va prendre dans mes armoires ce pourpoint découpé que quitta feu mon père l'année du grand hiver.

CORBINELI.   À quoi bon ces fariboles ? Vous n'y êtes pas, il faut tout au moins cent pistoles pour sa rançon.

GRANGER.   Cent pistoles ! Corbineli, va-t'en lui dire qu'il se laisse pendre sans dire mot.

CORBINELI.   Mademoiselle Genevote n'était pas trop sotte, qui refusait tantôt de vous épouser, sur ce que l'on l'assurait que vous étiez d'humeur, quand elle serait esclave en Turquie, de l'y laisser.

GRANGER.   Je les ferai mentir... S'en aller dans la galère d'un Turc ! Hé ! quoi faire, de par tous les diables, dans cette galère ? Ô galère, galère, tu mets bien ma bourse aux galères !

Acte II, scène 2.

Joguenet ou les Vieillards dupés

Cette pièce a été découverte en 1865 par Jacob (Paul Lacroix de son vrai nom) :

« J'ai cru y reconnaître, à première vue, l'écriture de Molière ; j'ai constaté sur-le-champ que j'avais sous les yeux le texte primitif des *Fourberies de Scapin*. L'aspect général du manuscrit, la couleur de l'encre, la qualité du papier, l'orthographe surtout ne laissaient pas de doute sur l'âge de cette copie, qui a été faite certainement de 1640 à 1655. »

Bien que cette supposition soit fort contestée, il est intéressant de se rendre compte par soi-même de la similitude des textes.

JOGUENET. [...] Vous allez voir comme vos ennemis seront bien attrapés. Mettez-vous là bien à votre aise, et surtout prenez garde de ne point vous montrer et de branler, quelque chose qui puisse arriver.

GARGANELLE. Laisse-moi faire. Je saurai me tenir dans la position qu'il faut.

JOGUENET. Ah ! Faites vite, cachez-vous et laissez-vous mener comme je voudrai. Je veux vous porter de même que si vous étiez une balle de marchandise. Cachez-vous asture, faites vite. Voilà qui est fait. Nous sommes perdus. Voici un spadassin qui vous cherche. Ne branlez pas au moins. Tournez-moi le dos et appuyez la tête à la muraille. *(Ici Joguenet contrefait sa voix, et, s'étant écarté au bout du théâtre, il fait un autre personnage et dit :)* Quoi ! Je n'aurai pas l'avantage de tuer ce Garganelle ? Quelqu'un ne m'enseignera-t-il pas où il est ? J'ai couru comme un Basque tout le jour sans pouvoir le rencontrer. Sambleu ! Je le trouverai, se fût-il caché au centre de la terre ! Holà ! Hé ! Écoute ici, garçon. Je te baille un louis si tu m'enseignes un peu où peut être Garganelle. Oui, morbleu ! Je le cherche partout sans savoir encore de ses nouvelles. *(Ici Joguenet se tourne de l'autre côté du théâtre, et, prenant son ton naturel, dit :)* Et pour quelle affaire, Monsieur, cherchez-vous le seigneur Garganelle ? Vous me paraissez fort en colère contre lui. *(Contrefaisant sa voix.)* Il me le paiera bien si je le tiens ; je le veux faire mourir sous les coups de bâton. *(Il reprend son ton naturel.)* Oh ! Monsieur, les coups de bâton ne se donnent point aux gens faits comme lui, et ce n'est pas un homme à être traité de la sorte. *(Il se tourne de l'autre côté et contrefait sa voix.)* Qui ? Ce fat de Garganelle, ce maraud, ce belître ? — Le Seigneur Garganelle, Monsieur, n'est ni fat, ni maraud, ni belître, et vous devriez, s'il vous plaît, parler d'autre façon. — Comment, coquin, tu me traites ainsi avec cette hauteur ? — Je défends, comme je dois, un homme d'honneur qu'on offense injurieusement. — Est-ce que tu es des amis de Garganelle ? — Oui, j'en suis, et de ses meilleurs ; je le servirai toute ma vie. — Ah ! teste ! mort ! tu es de ses amis ? À la bonne heure. Si je le puis rencontrer, ou des soldats de ma compagnie, il n'en paiera pas moins que de sa vie, ou il consentira au mariage que son fils a contracté avec Sylvie. De quoi s'est-il allé aviser de le vouloir rompre ? Cependant, coquin, voilà des coups de bâton que je te donne. Porte-lui cela de ma part. *(Ici, Joguenet frappe sur le dos de Garganelle comme si on le battait lui-même, et dit :)* Ah ! Monsieur, tout beau ! ah ! doucement, je vous prie, je n'en suis pas la cause ! Pourquoi me frapper si rudement ? Au secours ! au secours !

GARGANELLE. Ah ! Joguenet, je n'en puis plus. Ôtons-nous d'ici.

JOGUENET. Hélas ! Monsieur, je suis tout moulu, moi ; et les épaules me font un mal si épouvantable que je n'aurai pas les forces de vous porter ailleurs.

Acte III, scène 2.

Molière
et la commedia dell'arte

La commedia dell'arte

Si la commedia dell'arte se développa surtout à partir de la seconde moitié du XVIe siècle, ses racines sont bien plus anciennes. À travers son étude, on appréhende une série de personnages ou de masques, surgis du fond des âges. Véritable trait d'union entre les différentes cultures européennes actuelles, la commedia l'est aussi entre les différentes traditions qui ont traversé nos civilisations depuis leurs origines.

Les origines

Aux sources de Scapin, Brighella, Polichinelle ou Arlequin, on trouve un ancêtre commun : le *zanni* bergamesque. Ce misérable serviteur, vacher de son état, a émigré de Bergame (Italie du Nord) à Venise pour survivre. Traditionnellement, il est vêtu d'une chemise blanche, resserrée à la taille par une ceinture et blousant sur des pantalons bouffants. Il a passé son bâton de vacher sous sa ceinture : c'est sa seule arme apparente. Son esprit constitue cependant son meilleur rempart. Brillant, caustique, il aime à envoyer des *lazzis* qui sont autant de coups terribles portés à ses adversaires.

En cela, il fait revivre une tradition vieille de plus de vingt siècles. En effet, dès le IIIe siècle av. J.-C., on avait coutume d'improviser de courtes farces, à Atella, en pays osque (entre Naples et Capoue) : les *fabulae attelanae* ou *attelanes*, elles-mêmes héritières des *vers fescennins*, vers improvisés pratiqués au IVe siècle av. J.-C. à Fescennium, une bourgade falisque au nord du Latium. Le succès de ces attelanes fut si grand que les spectateurs romains les réclamèrent. Parmi les masques fameux importés par les histrions, rappelons celui de Maccus,

« l'homme aux grosses mâchoires », et de Buccus, « la bouche
en tirelire ». À la même époque, les Romains connurent deux
mimes gréco-latins : le *mimus albus*, mime blanc, et le *mimus
centunculus*, mime à l'habit à damiers.

Pour en terminer avec la question des origines, nous
mentionnerons ici un personnage de la mythologie étrusque
du VIe siècle av. J.-C., qui réunit tous les atouts pour être
l'ancêtre de la commedia dell'arte et de l'attelane : *Phersu*. Ce
démon, lié à Perséphone, l'épouse du dieu des Enfers Hadès,
par son nom et sa fonction, était chargé de mettre à mort
des victimes pour le rachat de l'âme d'un défunt, lors d'un
jeu cruel, appelé le « jeu du Phersu » (voir les tombes étrusques
de Tarquinia : tombes des Augures, du Polichinelle et des jeux
Olympiques). Personnage investi d'un savoir double, posé sur
la vie et sur la mort, divinité infernale fort inquiétante, Phersu
éclaire singulièrement certains masques grimaçants de la
commedia dell'arte, dont celui de Scapin.

Les personnages

À l'époque la plus florissante de son histoire, la commedia
se fit l'écho des critiques lancées contre les mœurs de son
temps. La société qu'elle nous dépeint est celle de la Renaissance
et de l'Âge classique.

Parmi les types essentiels fixés par le masque, notons :

● le *zanni* (serviteur), dont nous avons déjà parlé. Il se nomme
Brighella, Arlequin, Scapin, Mezzettino, Truffaldino, Tracca-
gnino, Tabarrino, Trivellino ou Fritellino. Une de ses formes
les plus originales : Pulchinella ;

● le bourgeois, qu'il soit, comme Pantalone, un marchand
vorace, avare, ou, comme le docteur Graziano ou Balanzone
de Bologne, plus homme de procès que de science, plus
pédant que compétent, moins ascète que goinfre ;

● le militaire, espagnol ou napolitain, Matamore ou Capitan,
vaniteux et veule ;

● les amoureux, Cinzio, Leandro, Ottavio, Isabella, Lucinda,
Rosaura, qui jouaient sans masque ;

● la servante, qui, sans masque également, s'appelait Corallina,
Colombina ou Smeraldina.

Tous ces personnages, masqués ou non, sont figés par la tradition, une fois pour toutes, dans leur emploi. Les spectateurs les reconnaissent d'emblée, ravis par avance du relief qu'ils sauront donner à leur fonction.

Molière et Scaramouche

« Le ciel est habillé ce soir en Scaramouche. » De ce bel alexandrin introductif à la comédie *le Sicilien ou l'Amour peintre*, on retiendra l'hommage de Molière à son maître italien Tiberio Fiorelli, le plus célèbre des Scaramouches.

Scaramouche, un personnage de tradition

Le personnage de Scaramouche fut créé à Naples vers le milieu du XVIe siècle. D'une allure guerrière, épée longue au côté, Scaramouche est vêtu de noir des pieds jusqu'à la tête. Traditionnellement, il porte un masque dont le nez effilé semble propre à flairer l'ennemi, jusqu'à l'interprétation de Tiberio Fiorelli, « Prince des Grimaciers », qui préférait se poudrer le visage.

Son amour se partage entre les femmes et les bouteilles de vin. Il tire sa raison d'être des histoires compliquées dans lesquelles il trouve un élément à sa mesure. Il aime enfin son maître pour l'argent qu'il peut lui dérober. Qu'on ne s'y trompe pas cependant : c'est un poltron, un vantard, proche du type du capitan ; au moindre danger, il déguerpit sans demander son reste.

Le cruel Polichinelle est son meilleur ami. Ensemble, ils ne cessent de tourmenter les passants et de trinquer de conserve, avant de se quereller mutuellement.

C'est ce personnage sans finesse mais si drôle que Tiberio Fiorelli développa.

Tiberio Fiorelli (vers 1600-1694)

« Il fut l'un des plus célèbres comédiens italiens du XVIIe siècle, et tint la scène durant cinquante ans environ, pour le plus grand plaisir de son public, sous le nom de Scaramouche » (*le Masque*, 1910, vol. 3, p. 162).

Nous possédons en fait peu d'éléments sur la vie de cet acteur dont l'observation détermina les orientations de la carrière de Molière. Des quelques observations éparses dans l'ouvrage contesté d'Angelo Constantini (*la Vie de Scaramouche*, Paris, 1695), on retient d'ordinaire que Scaramouche était le fils d'un capitaine de cavalerie. Après avoir surmonté quelques ennuis avec la justice de son pays, il devint membre d'une modeste troupe théâtrale. Le succès arriva très vite avec une pièce intitulée *Il convitato di Pietra* qu'il donna à Fano, puis à Mantoue. La personnalité de Tiberio Fiorelli ne laissa pas indifférent : il était de stature imposante, sa voix portait fort loin, il savait même chanter et s'accompagner d'un luth.

Mazarin l'invita alors à la cour de France pour qu'il y donnât une représentation. Sa réputation fut immédiate dans tout le royaume ; Anne d'Autriche et son fils Louis XIV comptèrent parmi ses plus fervents admirateurs.

Scaramouche mourut cependant à Paris, le 8 décembre 1694, oublié de tous. Il avait alors 86 ans. Sur son tombeau, on pouvait lire l'épitaphe suivante :

« Las ! Ce n'est pas dame Isabeau
Qui gist là-dessous ce tombeau,
Ni quelqu'autre Sainte-Nitouche :
C'est un comique sans pareil
Comme le ciel n'a qu'un soleil,
La terre n'eut qu'un Scaramouche. »

Molière, élève de Scaramouche

Si Molière n'avait pas existé, le nom de Scaramouche — mentionné seulement par Mme de Sévigné et le chroniqueur Tallement des Réaux — aurait sombré lui aussi dans l'oubli. Mais l'élève devait trop à l'illustre maître, et il sut le rappeler. Grâce au chef de la troupe des Comédiens-Italiens, avec lesquels il entretint toujours les meilleures relations lorsqu'il joua en alternance avec eux au Palais-Royal, Molière apprit l'importance de la pantomime et de l'improvisation. Il hérita ainsi des traditions de la commedia dell'arte, si évidentes dans *les Fourberies de Scapin*.

Rappelons pour mémoire les lignes inscrites sous un portrait de Scaramouche :

« Il fut le maître de Molière
Et la Nature fut le sien. »

et les dix vers d'*Élomire ou les Médecins*, comédie de Le Boulanger de Chalussay :

« Par exemple, Élomire (Molière)
Veut se rendre parfait dans l'art de faire rire :
Que fait-il, le matois, dans ce hardy dessein ?
Chez le grand Scaramouche, il va, soir et matin.
Là, le miroir en main, et ce grand homme en face,
Il n'est contorsion, posture ny grimace,
Que ce grand écolier du plus grand des bouffons
Ne fasse et ne refasse en cent et cent façons. »

La commedia dell'arte développa un art de tradition. Seuls des Italiens pouvaient le transmettre à Molière. Et la meilleure école restait celle de Scaramouche.

Le masque
Il serait faux de croire que tous les personnages de la commedia dell'arte étaient masqués. À l'époque de Molière, le grand Scaramouche lui-même avait substitué à son masque traditionnel un maquillage blanc.

Certes, quelle qu'ait été l'époque, le masque était obligatoire lorsqu'un homme jouait le rôle d'une femme. Aussi, dans les tragédies, la nourrice — avant qu'elle ne fût remplacée par une servante — était-elle masquée. Dans les autres cas, l'usage n'apparaît guère fixé.

Si Molière joua le rôle de Mascarille sous le masque, il préféra affronter son public des dernières années à visage découvert : Sganarelle et Scapin n'en eurent pas moins de succès. En revanche, on peut avancer que Molière, délaissant le masque, utilisa le maquillage, autre type de masque, en définitive. Il se noircissait les sourcils et la moustache avec de l'encre ou du charbon.

Il n'en délaissa pas pour autant la stricte tradition.

« Déjà dans *l'Amour médecin*, autour de Sganarelle charbonné,

quatre masques s'affairaient pour rendre la santé à sa fille :
c'étaient les quatre médecins, Des Fonandrès, Tomès, Macroton
et Bahis. Guy Patin nous assure qu'ils portaient des masques
faits exprès pour la représentation. Michaut estime invraisem-
blable qu'on ait osé de telles caricatures de personnages
considérables. Car derrière ces grotesques, on reconnaissait les
médecins du Roi, de la Reine, de Monsieur et un consultant
renommé. Était-ce la première fois ? Le Roi lui-même n'avait-
il pas désigné à Molière un de ses grands officiers pour qu'il
en fît le portrait satirique dans *les Fâcheux* ? Il est vrai que la
satire était cette fois plus vive. On ne saurait pourtant douter
de son objet ni de son efficacité comique.

Molière utilisa probablement le masque pour les Philosophes
du *Mariage forcé* : ne sont-ce pas les Docteurs traditionnels de
la *commedia dell'arte* ? De même pour le spadassin Alcidas :
n'est-ce pas une réincarnation du Capitan ? Les mêmes raisons
qui avaient imposé la « typification » de ces rôles exigeaient
l'usage du masque. On peut dire la même chose de
Monsieur Bobinet dans *la Comtesse d'Escarbagnas* : c'est le
Pédant. Et aussi des Médecins du *Malade imaginaire* : Purgon,
les Diafoirus, nouveaux masques ! Enfin, des deux Vieillards
des *Fourberies*, deux variantes de Pantalon. »

Par cette analyse, René Bray (*Molière, l'homme de théâtre*,
Mercure de France, 1954) situe *les Fourberies de Scapin* au
carrefour de la tradition italienne et de l'interprétation
moliéresque.

Molière, héritier de Scaramouche, ne peut craindre en fait
qu'une critique : celle d'avoir adapté à la France une commedia
dell'arte de sève typiquement italienne, en en fixant la tradition
par écrit.

Scapin : de la tradition aux *Fourberies*

La tradition

Si le XVIe siècle rendit populaires quantité de masques grâce
à des troupes prestigieuses telles les *Gelosi*, les *Confidenti* ou

les *Uniti*, les masques eux-mêmes furent les produits d'un nombre restreint de villes italiennes : Arlequin est né à Bergame, Polichinelle à Naples, Beltrame et Scapin à Milan.

Beltrame présente cette particularité d'être un masque et un comédien-auteur. En effet, ce nom est aussi le pseudonyme de Nicolo Barbieri (mort en 1641) qui créa également le personnage de Scapin. On doit à cet auteur *l'Inavvertito, overo Scapino disturbato et Mezzetino travagliato* : il en fixa les dialogues d'abord improvisés, lesquels serviront de modèle à *l'Étourdi* de Molière.

Le nom de Scapin est apparenté au verbe italien *scappare*, qui signifie « s'échapper », « s'envoler ». Il convenait fort bien à un personnage qui, à l'origine, ne tenait pas en place, virevoltait, se glissait dans les assemblées les plus fermées, participait aux réunions les plus secrètes. Le Scapin de la tradition était un être sans logique, vivant au gré de ses pulsions, confondant tout, oubliant tout sauf de demander son obole.

C'était un être aussi léger que le poète de Platon. Il aimait toutes les jeunes filles tour à tour, ne s'arrêtant à aucune : en fait, il aimait l'amour. Papillon épris de liberté, être romantique avant la lettre, futile en même temps que compliqué, le personnage de Scapin aimait jouer car il était né pour le plaisir.

Être subalterne, il se tournait vers la soubrette plutôt que la maîtresse qu'il laissait à Dom Juan. Sa loi était celle du plaisir immédiat dans lequel il vérifiait son pouvoir sur la vie et sur les autres. Type théâtral, précurseur de Figaro, il recréait, par instinct, un monde tourbillonnant qui lui ressemblait : monde joyeux du valet dont le maître a besoin.

Dans son costume traditionnel du *zanni* où alternaient les rayures blanches et vertes, il ressemblait autant à un bandit romantique qu'à un valet de comédie. Parmi les Scapins célèbres, citons Alexandro Ciavarelli, qui enchanta son public par ses *lazzis* et ses grimaces, et l'incroyable Camerani, qui, en 1769, fidèle à son appétit de vie, mourut d'une indigestion de foie gras !

L'interprétation moliéresque

Aussi la question se pose-t-elle : Molière a-t-il suivi en tout point la tradition ou a-t-il profité du masque de Scapin pour exposer une fois de plus ses idées ?

Remarquons, tout d'abord, que le Scapin de Molière n'est pas un amoureux ; il n'est pas plus un être futile. C'est un joueur et son jeu masqué — peut-être substitut du jeu érotique — révèle les composantes d'un monde où les règles sont fixées, où les sots sont puissants et où l'intelligence appartient au peuple.

Scapin est la voix du bon sens. Loin de nous l'idée d'en faire un Gavroche avant la lettre. Cependant, on ne saurait nier l'acidité de ses paroles. Déjà le Mascarille, *fourbum imperatorum*, de *l'Étourdi* remarquait :

« Quand nous faisons besoin, nous autres misérables,
Nous sommes les chéris et les incomparables.
Et, dans un autre temps, dès le moindre courroux,
Nous sommes les coquins, qu'il faut rouer de coups. »

(Acte I, sc. 2.)

Et Scapin est fils de Mascarille. Si seize années séparent les deux masques, ils se ressemblent dans le regard qu'ils posent sur leurs maîtres : regards complaisants mais lucides, appréciation de leur pouvoir mais aussi de leurs limites. À travers le temps, Molière a renforcé sa réflexion sur le monde, il ne l'a pas changée.

Par le truchement de son personnage, il engage un procès de société. De Géronte dont l'avarice n'est pas l'apanage, il avait dit déjà dans *l'Étourdi* :

« Il se ferait fesser pour moins d'un quart d'écu,
Et l'argent est le Dieu que sur tout il révère. »

(Acte I, sc. 2.)

Par ces paroles audacieuses, il dénonce une bourgeoisie embarrassée où les pères sont de plus en plus autoritaires, pingres et stupides, où les fils sont démunis devant la réalité, empêtrés par leurs problèmes, capables d'aimer, de se marier, mais peu dignes de notre estime car sans responsabilité devant leurs actes, où les filles sont charmantes mais égoïstes et immatures.

En face de ce monde sans jeunesse où seule Zerbinette agresse les masques de son rire décapant, qui est donc le Scapin de Molière ? Un roué, a-t-on dit, trop sûr de lui, un gredin devenu justicier. Scapin est tout cela et bien autre chose. Démoniaque dans son jeu — inconscient rappel de ses origines étrusques —, solitaire sur une scène finale où le monde en crise retrouvant son équilibre apparent l'oublierait s'il ne se rappelait à lui, Scapin reste celui qui s'assume seul, tout seul, dans une société insouciante de son devenir. Car, une fois le rideau tombé, les mariages conclus, le sot reste stupide, le niais benêt et l'avare pingre ! Quant à Scapin, demeure-t-il un pauvre valet dont on agite les ficelles à la moindre alerte ? Ce n'est pas sûr.

Il a quitté son masque pour devenir humain. À la différence de celui de la commedia dell'arte, il a sauté hors de la scène pour prendre la voix et la vie de Molière. Dépassant son auteur, il nous en délivre le dernier message.

Scapin est la jeunesse retrouvée, le mouvement qui permet au chaos de se recomposer. Il est un principe essentiel de la régénérescence. Il est le signe d'un nouvel ordre dont les racines infiltrent l'ancien, révélateur des bouleversements à venir et des fraîcheurs qui sourdent.

Le Scapin de Molière est unique. Jamais plus, on ne mènera jusqu'à ce point existentiel ce masque qui, abandonnant son auteur pour rejoindre les grands mythes, échappera à son propre nom.

Le caractère de Scapin

Entre les deux groupes opposés — vieillesse contre jeunesse, argent contre dénuement —, les valets s'interposent. En face d'un Sylvestre fade mais bon exécutant, Scapin domine la farce entière de toute la richesse de sa personnalité. C'est un homme libre qui choisit à chaque instant les orientations de sa vie. Il aime le hasard (c'est un joueur !) et le risque l'excite (acte III, sc. 1). Bien que s'abritant derrière son honneur lorsqu'on le traite « de coquin, de fripon, de pendard, d'infâme » (acte II, sc. 4), il se situe au-dessus des lois : « Les menaces ne m'ont jamais fait mal, et ce sont des nuées qui passent bien loin sur nos têtes » (acte III, sc. 9).

S'il n'était qu'un voleur, un repris de justice, l'aimerions-nous autant ? Certes pas ! Scapin est un artiste ; le masque est son attribut ; la fourberie son moyen d'action. S'il recueille parfois quelques fruits matériels de ses farces, un baril de vin, une montre (acte II, sc. 3), il n'hésite cependant pas à mettre ses talents au service des plus faibles : il est « homme consolatif » (acte I, sc. 2). Et pour quel profit ? Pour le plaisir de faire le bien, pour la justice en somme avec qui il prétend être brouillé !

Car, que récolte Scapin de ses « scapinades » ? Rien. Qui le remercie ? Peu de gens. En fait, n'agit-il pas pour le plaisir d'agir ? Il s'engouffre, tête baissée, dans l'action, risquant tout, s'enivrant de son propre mouvement. Et il nous plaît car il appartient à toutes les époques des gens qui s'engagent. « Je hais, dit-il, les cœurs pusillanimes qui, pour trop prévoir les suites des choses, n'osent rien entreprendre » (acte III, sc. 1). Derrière son masque, c'est Molière que l'on devine : un Molière qui toute sa vie dut faire face, risquer de perdre pour avoir une chance de gagner !

Molière, la pièce et les critiques

L'affaire du sac

Étudiez la cour et connaissez la ville :
L'une et l'autre est toujours en modèles fertile.
C'est par là que Molière, illustrant ses écrits,
Peut-être de son art eût remporté le prix,
Si, moins ami du peuple, en ses doctes peintures,
Il n'eût point fait souvent grimacer ses figures,
Quitter, pour le bouffon, l'agréable et le fin,
Et, sans honte, à Térence allié Tabarin.
Dans ce sac ridicule où Scapin s'enveloppe
Je ne reconnais plus l'auteur du *Misanthrope*.

Boileau
l'Art poétique (1674), III, vers 391-400.

Molière observateur

Molière n'a pas fait de portraits. Molière n'est ni un satirique, ni un revuiste qui met à la scène des rôles de fâcheux ou de saugrenus, des gens qu'il coudoie ou fréquente dans sa vie. Certes, il n'a pas inventé de toutes pièces les caractères qu'il a écrits et composés, et la société dans laquelle il vivait a dû lui fournir des points de départ ou des amorces de développement qu'il se proposait... Mais l'état d'esprit dans lequel Molière

160

voit et observe, mais sa contemplation, sont bien différents de ce que l'on imagine. Ils sont d'une exceptionnelle attitude d'âme. Une tendresse, une réceptivité spéciale, mettent Molière dans une préoccupation unique, un état de grâce : la disponibilité d'un créateur.

L. Jouvet
Témoignages sur le théâtre, Flammarion, 1952.

La virtuosité de l'écrivain

Suite de lazzis, succession de bons tours, joyeuses inventions, voilà ce que Molière a voulu, et il a merveilleusement réalisé son dessein. Le mépris de Boileau est une réaction de pédant. Ce qui mérite d'être observé dans cette comédie sans prétention, c'est la virtuosité de l'écrivain. Elle apparaît ici comme nul part ailleurs dans Molière. On a l'impression, que ne donnent pas les très grandes œuvres, d'une sorte de détachement de l'écrivain en face de la pièce à écrire. Il la regarde, il n'y entre pas.

A. Adam
Histoire de la littérature française au XVIIe siècle,
tome III, 1952.

Molière et la cruauté

Molière se garde de toute cruauté. Ses plaisanteries se déroulent dans la bonne humeur. Ce n'est pas que nous plaignons ses victimes : nous ne contestons pas qu'elles méritent le traitement qu'elles subissent ; mais ce traitement ne leur fait pas grand mal.

R. Bray,
Molière, homme de théâtre. Mercure de France, 1954.

Molière et Jean-Baptiste Poquelin

(Scapin) sauvegarde le pouvoir du rire, parce qu'il s'est dépossédé (j'allais dire décrassé) de toute humanité et qu'ainsi, ne compromettant que lui, il permet à Molière de jouer le jeu jusqu'au bout. Quand dans un dernier éclat de rire la comédie l'emporte sur sa civière, son clin d'œil ne va pas au public mais à Jean-Baptiste Poquelin, dit Molière, auquel il fixe un prompt rendez-vous.

A. Simon,
Molière par lui-même, Seuil
(coll. « Écrivains de toujours »), 1957.

Un masque vivant

L'acteur sous le masque dépasse en puissance celui qui se présente à visage découvert. Le masque vit. Il a son style et son langage subtil... Je n'ai, pour ma part, aucun mal à imaginer Molière acceptant la gageure d'équiper ses Fourberies tout à l'italienne. Et dès lors je m'explique mieux le peu d'empressement de la Cour, la résistance première du public, la mauvaise humeur de Boileau.

J. Copeau,
Registres II, Molière, Gallimard, 1976.

Avant ou après la lecture

Lectures et mises en scène

1. Dans l'acte II, scène 5, Scapin dans une réplique assez longue (lignes 15 à 17) fait allusion à Térence (vers 185-159 av. J.-C.) qui écrivit : « Celui qui revient d'un long voyage doit sans cesse se représenter ou bien une frasque de son fils, ou bien la mort de sa femme, ou bien une maladie de sa fille, et se dire que, de toute façon, ce sont là des choses qui peuvent arriver ; de la sorte, rien ne peut plus prendre son esprit au dépourvu et tout ce qui se produit contrairement à son attente, il peut l'imputer à son heureux destin. »

Les élèves pourront réfléchir sur deux points :

a) les différences entre le texte original de Térence et la citation de Scapin ;

b) le vocabulaire des textes de Scapin et de Térence, dont ils justifieront les différences.

2. Jacques Copeau imaginait ainsi l'arrivée de Scapin dans la dernière scène (acte III, sc. 13) : « Deux grands diables de porteurs (ouvriers du port) paraissent au fond. Dans une espèce de cuvette en bois qui rappelle par sa forme le récipient dans lequel les maçons gâchent leur mortier, ils transportent Scapin... Quand ils se mettent à gravir les marches de l'escalier du fond, à chaque marche Scapin pousse une plainte stridente et prolongée. Les deux porteurs s'avancent au bord du tréteau et, là, vident Scapin du baquet. »

Est-ce ainsi que les élèves réaliseraient cette mise en scène ? Si oui, demander des précisions. Si non, demander qu'ils exposent leur projet personnel.

Rédactions

1. Quel est votre personnage préféré dans cette pièce ? Justifiez les raisons de votre choix.

2. Imaginez le repas qui suit le dernier acte. Où placerez-vous Scapin ? Quels seront ses voisins ? Quelle ambiance régnera à cette occasion ?

3. Durant le repas qui fait suite au troisième acte, Scapin imagine une cinquième fourberie. Écrivez un mini-scénario.

4. Imaginez le dialogue entre deux élèves qui ont vu au théâtre *les Fourberies de Scapin* : l'un n'a pas aimé la pièce, l'autre l'a adorée.

5. Zerbinette raconte son aventure à une amie, avec son entrain et sa façon bien à elle de s'exprimer. Que lui dit-elle ? Imaginez ses paroles, ses gestes, ses mimiques.

Exposés

1. Le comique dans *les Fourberies de Scapin* : vous reprendrez les différents types de comique étudiés au cours de la pièce et chercherez quand et comment ils apparaissent dans le texte, lequel est le plus employé, quel type de comique est plus particulièrement associé à chacun des personnages.

2. L'avarice dans *les Fourberies de Scapin* : vous montrerez ce que les pères, les fils, les jeunes filles et les valets pensent de l'argent et de son usage.

Ouvertures

1. Comparer les différents types de farce présentés dans la « documentation thématique » (p. 130 à 00) :

  a) Quelles similitudes ces extraits présentent-ils entre eux ?

  b) Analysez le comique de chaque extrait.

  c) *Les Fourberies de Scapin* ressemblent-elles à ces farces ?

Justifier la réponse, en faisant la liste de leurs similitudes et de leurs différences.

d) Conclure en donnant une définition précise de la farce.

2. Tout le monde prétend connaître Molière. Qu'en est-il exactement ? Pour le savoir, faire effectuer un sondage par les élèves auprès de leurs camarades, parents, commerçants, etc., puis réunir les réponses et les évaluer. Pour réaliser ce sondage, les élèves noteraient d'abord l'âge, le sexe, la profession ou l'occupation de la personne interviewée. Ils pourraient ensuite s'inspirer des questions suivantes :

a) Molière : ce nom évoque-t-il pour vous celui d'un acteur ? d'un chanteur ? d'un auteur ? d'un autre personnage ?

b) À quelle époque a vécu Molière ? au XVIIe siècle ? au XVIIIe siècle ? au XIXe siècle ? au XXe siècle ?

c) Citez cinq de ses pièces. (Relevez les pièces citées afin de faire une sorte de « Top 50 », mais aussi le nombre de réponses données à cette question pour évaluer la culture des interlocuteurs).

d) Molière a-t-il pu connaître Alexandre Dumas ? Gérard Philipe ?

e) Comment vous représentez-vous Molière physiquement ? moralement ? Appartenait-il au peuple, à la bourgeoisie, à la noblesse ?

f) Molière a-t-il connu le succès de son vivant ? etc.

3. La situation des jeunes évoquée dans *les Fourberies* nous est-elle étrangère ou familière ?

a) Les jeunes gens semblent manquer d'argent : que pensent les élèves du problème de l'argent de poche ? En reçoivent-ils de leurs parents ? Si oui, comment le gagnent-ils ? Si non, trouvent-ils normal de ne pas disposer d'argent de poche ? Faire justifier les réponses. Pensent-ils que l'argent soit important à leur âge ? à l'âge des personnages de Molière ?

b) Les jeunes gens ne sont pas libres de se marier avec la personne qu'ils aiment : que pensent les élèves de cette situation ? Quelle place réserveraient-ils à l'amour dans leur vie ? Vous pouvez sur tous ces points organiser un débat avec la classe.

4. Dessiner les costumes et réaliser les masques des personnages en s'aidant des illustrations du petit classique et d'une documentation que pourrait fournir le professeur d'histoire. Comment réaliser le déguisement de Sylvestre en spadassin (acte II, scène 6) ? Faites-le composer par les élèves en découpant des magazines.

5. En s'appuyant sur les illustrations de l'ouvrage, montrer en quoi les costumes de la commedia dell'arte participent du comique du texte.

6. Peut-on rapprocher les personnages de la commedia dell'arte des clowns de cirque, des mimes contemporains (Marceau, Rufus) ou des personnages de cinéma (Louis de Funès, Jean-Pierre Richard, etc.) ?

7. Proposer aux élèves le questionnaire suivant : parmi ces affirmations, quatre sont fausses. Lesquelles ?

    a) Léandre est amoureux de Zerbinette.

    b) La scène se passe dans le nord de l'Italie.

    c) Géronte est un homme très riche pour qui seul l'argent compte.

    d) Zerbinette se moque de Géronte dans l'acte III.

    e) La mère de Hyacinte va arriver de Tarente prochainement.

    f) Scapin est un criminel.

    g) Molière a composé cette farce à la fin de sa vie.

    h) C'est Molière qui jouait le personnage de Scapin.

    i) La pièce a tout de suite été un grand succès.

    j) Molière est mort dans l'aisance.

Faire réaliser d'autres questionnaires par les élèves.

Bibliographie, filmographie

Édition
Molière, Œuvres complètes, texte établi, présenté et annoté par Georges Couton, Paris, (coll. « Bibliothèque de la Pléiade »), 2 vol., Gallimard, 1983.

Ouvrages généraux
A. Adam, *Histoire de la littérature française au XVIIe siècle,* (4 vol.), t. III, Boileau, Molière ; Domat, 1952.
J. Scherer, *la Dramaturgie classique en France,* Nizet, 1950.
G. Mongrédien, *Recueil des textes et des documents du XVIIe siècle relatifs à Molière,* Paris, C.N.R.S., 1966-1973, 2 vol.

Molière et la commedia dell'arte
P.L. Duchartre, *la Comédie italienne,* Paris, 1929.
R. Bray, *Molière, Homme de théâtre,* Mercure de France, 1954 ; nouvelle édition, 1963.
J. Copeau, *Registres II, Molière,* Gallimard, 1976 ; *les Fourberies de Scapin* Seuil (coll. « Mises en scène »), 1951.
A. Simon, *Molière par lui-même,* Seuil (coll. « Microcosme »), 1957.
G. Defaux, *Molière ou les métamorphoses du comique,* Paris, Klinsksieck, 1980.

Molière et Scapin au cinéma
● Molière :
Molière, d'Ariane Mnouchkine, 1978.
Si Versailles m'était conté, de Sacha Guitry, 1954.

● La commedia dell'arte :
les Enfants du paradis, de Marcel Carné, 1945.
Scaramouche, de Georges Sidney, 1952.
● La pièce :
les Fourberies de Scapin, Roger Coggio, 1981.

Petit dictionnaire du théâtre

acte *(nom masc.)* : partie d'une pièce de théâtre. Un acte comporte plusieurs scènes. À l'époque de Molière, les actes ne pouvaient pas durer plus de 35 minutes car les scènes étaient éclairées grâce à des bougies qu'il convenait de changer toutes les 35 minutes.

action *(nom fém.)* : on nomme ainsi les scènes centrales de la pièce où les personnages tentent de se tirer d'une situation compliquée.

comédie *(nom fém.)* : pièce de théâtre destinée à amuser le public, par le choix des personnages et des situations.

côté cour, côté jardin : cette expression remonte à l'époque où les troupes jouaient dans les hôtels particuliers de la noblesse. En effet, les scènes étaient montées dans le bâtiment central, entre la cour d'honneur et les jardins qui s'étendaient derrière la façade. Ainsi, lorsque les acteurs sortaient sur la gauche de la scène, on disait qu'ils sortaient côté jardin ; s'ils sortaient du côté droit, on parlait du côté cour. Pour s'en souvenir, se rappeler les initiales du Christ : J.C.

coulisses *(nom fém. pl.)* : partie du théâtre que les spectateurs ne voient pas car elle est située derrière les décors et sur les côtés de la scène.

coup de théâtre *(nom masc.)* : moment fort de l'action qui surprend les personnages et les spectateurs.

dénouement *(nom masc.)* : on nomme ainsi les dernières scènes de la pièce, où les situations les plus complexes trouvent leur solution.

dialogue *(nom masc.)* : paroles échangées entre les acteurs. (Il peut être intéressant de compter le nombre des répliques, leur longueur afin de déterminer qui s'exprime le plus, le moins, de quelle façon il le fait, etc.)

exposition *(nom fém.)* : scène ou ensemble de scènes situées au début de la pièce qui permet d'apprendre au public ce qui s'est passé avant le lever de rideau, qui sont les personnages, quelles sont leurs relations, etc.

farce *(nom fém.)* : petite pièce destinée souvent à égayer les spectateurs. La farce est un genre très ancien et très populaire. Les jeux de scènes, le comique des situations et la caricature des personnages y prédominent.

guichets *(nom masc. pl.)* : petits comptoirs à l'entrée du théâtre où les spectateurs viennent retirer leurs places.

indications scéniques (ou **didascalies**) : indications données par le metteur en scène en plus des répliques. Elles ont pour fonction de préciser les lieux, les jeux de scène, les entrées et les sorties des personnages, le ton sur lequel telle réplique doit être prononcée, les accessoires nécessaires à la représentation, etc.

intrigue *(nom fém.)* : sujet de la pièce, problème à résoudre.

jeune premier : comédien qui tient les rôles d'amoureux.

jeux de scène : indication des attitudes et des gestes que doivent exécuter les acteurs afin de produire un effet théâtral particulier (rire, geste de surprise, etc.).

monologue *(nom masc.)* : discours prononcé par un seul acteur dans lequel il confie au public ses réflexions et ses états d'âme.

réplique *(nom fém.)* : paroles prononcées par un acteur en réponse à un autre acteur.

scène *(nom fém.)* : partie d'un acte. On change de scène lorsqu'un personnage entre ou sort.

tragédie *(nom fém.)* : pièce en vers de sujet grave, emprunté à l'histoire ou à la légende. Ses héros se battent contre le malheur et la mort.

tréteaux *(nom masc. pl.)* : aux origines du théâtre, les pièces n'étaient pas représentées dans des bâtiments de pierre mais sur des tréteaux improvisés de bois. Ainsi, traditionnellement, la commedia dell'arte utilise des théâtres de bois, facilement démontables.

Dans la collection *Classiques Larousse*

H.C. Andersen : *Contes choisis* (nouvelle série).

J. Anouilh : *la Répétition ou l'Amour puni.*

G. Apollinaire : *Alcools.*

H. de Balzac : *Eugénie Grandet ; les Illusions perdues ;*
le Médecin de campagne ; le Père Goriot.

Ch. Baudelaire : *Petites Poèmes en prose ; œuvres critiques ;*
les Fleurs du mal.

P.-A. de Beaumarchais : *le Barbier de Séville ;*
le Mariage de Figaro.

S. Beckett : *Choix de textes.*

J. du Bellay : *Défense et illustration de la langue française ;*
les Regrets.

G. Bernanos : *Sous le soleil de Satan.*

J.-H. Bernardin de Saint-Pierre : *Paul et Virginie.*

N. Boileau : *l'Art poétique.*

J.-B. Bossuet : *Oraisons funèbres ; les Sermons.*

A. Camus : *la Peste.*

la Chanson de Roland.

F.-R. de Chateaubriand : *René ; Atala ;*
Mémoires d'outre-tombe.

Chrétien de Troyes : *Yvain ou le Chevalier au lion.*

P. Claudel : *le Soulier de satin.*

J. Cocteau : *la Machine infernale.*

T. Corbière : *les Amours jaunes.*

P. Corneille : *le Cid* (nouvelle série) *; Cinna ; Horace ;*
l'Illusion comique ; Nicomède ; Polyeucte ; Rodogune.

A. Daudet : *les Lettres de mon moulin.*

R. Descartes : *Discours de la méthode ; Méditations métaphysiques.*

D. Diderot : *le Fils naturel ; le Neveu de Rameau ;*
De la poésie dramatique.

A. Dumas : *les Trois Mousquetaires.*

l'Encyclopédie.

Erckmann-Chatrian : *Histoire d'un conscrit de 1813.*

la Farce de Maistre Pathelin.

G. Flaubert : *l'Éducation sentimentale ;*
Hérodias (nouvelle série, à paraître) ; *Madame Bovary ;*
Salammbô ; Trois Contes.

T. Gautier : *le Roman de la momie.*

A. Gide : *les Faux-Monnayeurs.*

J. Giono : *Que ma joie demeure.*

J. Giraudoux : *la Guerre de Troie n'aura pas lieu.*

V. Hugo : *les Contemplations ; Hernani ; la Légende des siècles ;*
Ruy Blas ; Poésies choisies ; Préface de « Cromwell » ; les Misérables ;
Notre-Dame de Paris ; Quatre vingt-treize.

Idéaux pédagogiques européens.

E. Ionesco : *le Roi se meurt.*

F. Jammes : *Choix de poésies.*

A. Jarry : *Ubu roi.*

E. Labiche : *Un chapeau de paille d'Italie ;*
le Voyage de monsieur Perrichon ;
la Cagnotte (nouvelle série).

J. de La Bruyère : *les Caractères.*

P.-C. de Laclos : *les Liaisons dangereuses.*

Mme de La Fayette : *la Princesse de Clèves.*

J. de La Fontaine : *Fables choisies.*

A. de Lamartine : *Méditations poétiques.*

F. de La Rochefoucauld : *Maximes.*

A.-R. Lesage : *Turcaret.*

S. Mallarmé et le symbolisme : *auteurs, œuvres.*

A. Malraux : *la Condition Humaine.*

P. de Marivaux : *le Jeu de l'amour et du hasard ;*
les Fausses Confidences ; la Double Inconstance ;
l'Ile des esclaves (nouvelle série à paraître) ;
le Paysan parvenu ; Journaux.

R. Martin du Gard : *les Thibault.*

G. de Maupassant : *Contes et Nouvelles ;*
le Horla.
F. Mauriac : *le Mystère Frontenac.*
S. Mercier : *la Brouette du vinaigrier.*
P. Mérimée : *Colomba ; Mateo Falcone et autres nouvelles ;*
Carmen (nouvelle série, à paraître) ; *la Vénus d'Ille.*
Molière : *l'Amour médecin ; Amphitryon ;*
l'Avare (nouvelle série) ;
le Bourgeois gentilhomme (nouvelle série, à paraître) ;
la Critique de l'École des femmes ;
l'Impromptu de Versailles ; Dom Juan (nouvelle série, à paraître) ;
l'École des femmes (nouvelle série) ;
les Femmes savantes (nouvelle série) ;
les Fourberies de Scapin (nouvelle série) ;
George Dandin (nouvelle série) ; *le Malade imaginaire* (nouvelle
série) ; *le Médecin malgré lui* (nouvelle série) ; *le Médecin volant ;*
le Misanthrope (nouvelle série, à paraître) ;
les Précieuses ridicules (nouvelle série, à paraître) ;
le Tartuffe (nouvelle série) ; *Scènes choisies.*
M.-E. de Montaigne : *Essais.*
Ch.-S. de Montesquieu : *Considérations ; De l'esprit des lois ;*
Lettres persanes (nouvelle série).
H. de Montherlant : *les Bestiaires.*
A. de Musset : *les Caprices de Marianne ; le Chandelier ;*
Un Caprice ; Il ne faut jurer de rien ; Fantasio ; Lorenzaccio ;
On ne badine pas avec l'amour ; Poésies.
G. de Nerval : *Sylvie ; les Chimères.*
les Orateurs de la Révolution française (nouvelle série).
B. Pascal : *Pensées ; les Provinciales.*
L. Pergaud : *la Guerre des boutons.*
Ch. Perrault : *Contes de ma Mère l'Oye* (nouvelle série,
à paraître).
la Poésie lyrique au Moyen Âge : X^e-XIIe siècle,
la Poésie lyrique au Moyen Âge : XIIIe-XVe siècle,
la Poésie française au XVIIIe siècle.
Abbé Prévost : *Manon Lescaut.*
M. Proust : *Du côté de chez Swann ; Lettres choisies.*

F. Rabelais : *Gargantua ; Pantagruel.*

J. Racine : *Andromaque ; Athalie ; Bajazet ; Bérénice ; Britannicus ; Esther ; Iphigénie ; Mithridate ; Phèdre* (nouvelle série, à paraître) ; *les Plaideurs.*

J. Renard : *Poil de carotte.*

A. Rimbaud : *Pages choisies.*

R. Rolland : *Jean-Christophe.*

J. Romains : *les Hommes de bonne volonté.*

le Roman de Renart.

le Romantisme européen.

P. de Ronsard : *Œuvres poétiques.*

E. Rostand : *Cyrano de Bergerac.*

J.-J. Rousseau : *Confessions ; Du contrat social ; Dialogues, rêveries ; Discours sur l'origine de l'inégalité ; Émile ; la Nouvelle Héloïse.*

A. de Saint-Exupéry : *Terre des Hommes.*

G. Sand : *la Mare au diable ; la Petite Fadette.*

Mme de Sévigné : *Lettres choisies.*

Stendhal : *La Chartreuse de Parme ; le Rouge et le Noir.*

le Théâtre comique au Moyen Âge.

A.-C. de Tocqueville : *De la démocratie en Amérique.*

Tristan et Iseut.

P. Valéry : *Charmes.*

J. Vallès : *l'Enfant* (nouvelle série, à paraître).

C.-F. de Vaugelas : *Remarques sur la langue française.*

É Verhaeren : *Toute la Flandre.*

P. Verlaine : *Choix de poésies.*

J. Verne : *De la Terre à la Lune.*

A. de Vigny : *Chatterton ; les Destinées.*

F. Villon : *Poésies choisies.*

Voltaire : *Candide* (nouvelle série) ;
Zadig : le Monde comme il va ;
Jeannot et Colin ; l'Homme aux quarante écus ;
Lettres philosophiques ; Micromégas ; l'Ingénu ;
Œuvres philosophiques ;
Correspondance ; Zaïre.

É. Zola : *l'Assommoir ; la Curée ; Germinal.*

Conception éditoriale : Noëlle Degoud.
Coordination éditoriale : Emmanuelle Fillion.
Coordination de la fabrication : Marlène Delbeken.
Documentation iconographique : Nicole Laguigné.
Schéma pp. 10-11 : Thierry Chauchat

Sources des illustrations
Agence de presse Bernand : p. 24.
Cahiers du cinéma : p. 68.
Christophe L. : p. 17.
Édimage-Palix : p. 20.
Enguérand : p. 74.
Giraudon : p. 7, 19.
Jean-Loup Charmet : p. 92.
Larousse : p. 5, 13, 103, 123.
Lauros-Giraudon : p. 138.
Lipnitzki-Viollet : p. 86.
Roger-Viollet : p. 52.
Crédits photo Larousse : p. 123

COMPOSITION : SCP BORDEAUX.
IMPRIMERIE HÉRISSEY. — 27000 ÉVREUX. — N° 49648.
Dépôt légal : Décembre 1989. — N° de série Éditeur : 15361.
IMPRIMÉ EN FRANCE *(Printed in France)*. — 871 308 - Décembre 1989.